D0295297

Probleemgestuurd leren

Een wegwijzer voor studenten

Hoger Onderwijs Reeks

Dit boek maakt deel uit van de *Hoger Onderwijs Reeks*. Deze reeks dient ter verspreiding van onderwijskundige informatie die het gehele hoger onderwijs betreft, dus zowel het wo als het hbo. De redactie is samengesteld met dat belang voor ogen.
De redactie richt zich op drie groepen: studenten, docenten en beleidsfunctionarissen/bestuurders. Studenten kunnen de informatie gebruiken bij de inrichting en vormgeving van hun studie. De informatie voor docenten is vooral bedoeld als ondersteuning bij de inrichting en uitvoering van hun onderwijs en als basis voor nadere onderwijskundige professionalisering. Voor beleidsfunctionarissen en bestuurders levert de reeks een bijdrage aan het denken over het hoger onderwijs en draagt hij informatie aan die van belang kan zijn voor de beleidsvoorbereiding en het nemen van beleidsbeslissingen.

De reeks verschijnt onder auspiciën van de Contactgroep Research Wetenschappelijk Onderwijs (CRWO), het landelijke samenwerkingsverband van de universitaire centra voor Onderzoek en Ontwikkeling van het hoger onderwijs.

Redactiesecretariaat:
Noordhoff Uitgevers
Hoger Onderwijs
Hoger Onderwijs Reeks
Postbus 58
9700 MB Groningen
www.noordhoffuitgevers.nl

Probleemgestuurd leren

Een wegwijzer voor studenten

Jos Moust

Peter Bouhuijs

Henk Schmidt

Vijfde herziene druk

Noordhoff Uitgevers Groningen/Houten

Ontwerp omslag: G2K Designers, Groningen/Amsterdam

Eventuele op- en aanmerkingen over deze of andere uitgaven kunt u richten aan:
Noordhoff Uitgevers bv, Afdeling Hoger Onderwijs, Antwoordnummer 13, 9700 VB Groningen,
e-mail: info@noordhoff.nl

0 1 2 3 4 5 / 13 12 11 10 09

ISBN 978-90-01-77983-2
NUR 841

Voorwoord

Universiteiten en hogescholen bieden in toenemende mate studieprogramma's aan waarin probleemgestuurd onderwijs als uitgangspunt is gekozen. In Nederland maken jaarlijks enkele duizenden studenten voor het eerst kennis met deze onderwijsaanpak. Deze onderwijsbenadering vereist een grote mate van zelfstandigheid van studenten bij het inrichten van hun studie. Zo wordt er niet exact voorgeschreven wat de te bestuderen leerstof is en wordt deze niet in kant en klare vorm aan studenten uitgelegd. De student moet in belangrijke mate zelf initiatieven tot leren nemen.
De ervaring heeft geleerd dat een goede voorbereiding op het werken in een probleemgestuurd onderwijssysteem van groot belang is. Dit boek is in de loop der jaren gegroeid uit de ervaringen die met de introductie van dit type onderwijs zijn opgedaan in de verschillende studierichtingen van de Universiteit Maastricht, waar deze onderwijsaanpak sinds 1974 wordt toegepast. Daarbij is gebleken dat studenten met name aan het begin van hun studie behoefte hebben aan praktische informatie over een goede studieaanpak. Het boek is dan ook vooral bedoeld als een handleiding voor de grote groep studenten die voor het eerst te maken krijgt met deze onderwijsvorm. De nadruk in dit boek ligt op de vaardigheden die nodig zijn om goed te functioneren in probleemgestuurd onderwijs. Er wordt aandacht geschonken aan het werken in onderwijsgroepen en aan het inrichten van de eigen studie. Door middel van uitleg, tips, vragen- en checklists wordt de gelegenheid gegeven om een beter zicht te krijgen op het gehele studieproces.

In deze **vijfde herziene druk** wordt meer aandacht besteed aan de relatie tussen actuele cognitieve principes en het leerproces van de studenten in probleemgestuurd onderwijs. Tevens wordt extra aandacht geschonken aan de samenwerking in een onderwijsgroep, wanneer de leden een verschillende culturele achtergrond hebben. Ook worden de verschillende activiteiten van de leden van een onderwijsgroep en de gespreksleider uitvoeriger en meer systematisch behandeld. Ten slotte krijgen allerlei variaties van werkvormen in en buiten probleemgestuurd onderwijs meer aandacht.

In de loop van hun studie zullen sommige studenten problemen onderkennen met bepaalde facetten van hun studieaanpak. Voor hen is dit boek niet speciaal bedoeld, al kunnen zij aan de hand van de literatuurverwijzingen (bijvoorbeeld aan het eind van hoofdstuk 1) en tips wellicht verder geholpen worden.
De nadruk die in dit boek gelegd wordt op vaardigheden voor beginnende studenten, betekent ook dat dit boek geen handleiding voor het ontwerpen van probleemgestuurd onderwijs is. Geïnteresseerde docenten zullen hiervoor andere bronnen moeten raadplegen. De informatie over hoe studenten in een probleemgestuurd systeem kunnen functioneren, blijft echter ook voor docenten van belang.

Naast dit boek is er ook een website, www.probleemgestuurdleren.noordhoff.nl, met meer materiaal, zoals:

- observatielijsten
- checklists
- evaluatielijsten
- oefeningen
- suggesties voor het werken in onderwijsgroepen

In dit boek is de ervaring gebundeld die de auteurs in meer dan dertig jaar hebben opgedaan aan de Universiteit Maastricht en aan andere onderwijsinstellingen. Vele anderen hebben in de loop van die tijd meegeholpen aan het maken en beproeven van onderwijsmateriaal om studenten te helpen een goede start te maken in een probleemgestuurde leeromgeving.
De diverse onderwijsprogramma's van de Universiteit Maastricht vormden steeds een rijke bron voor het vinden van voorbeelden. Onze dank gaat dan ook uit naar onze collega's binnen de Universiteit Maastricht, die op uiteenlopende wijze behulpzaam waren bij het samenstellen van dit boek. Ook de talloze studenten die gebruikmaakten van eerdere versies van dit boek, zijn wij dankbaar voor hun kritiek en vaak bruikbare suggesties voor verbeteringen.

Maastricht, juni 2009

Jos Moust, Peter Bouhuijs en Henk Schmidt

Inhoud

1 Kenmerken van probleemgestuurd onderwijs

1.1 Wat is probleemgestuurd onderwijs?

Lees de volgende tekst zorgvuldig door.

Schilderwerken in de atmosfeer
Het is een mooie maar bewolkte zomerdag. Je besluit na je werk nog wat te gaan sporten. Na een poosje moet je je sportactiviteiten onderbreken om te schuilen voor een fikse regenbui.
Plotseling zie je dat de bewolking openbreekt en de zon weer begint te schijnen. Het stopt met regenen maar de luchtvochtigheid is nog redelijk hoog. Recht tegenover de zon zie je een prachtige regenboog. Wanneer je goed kijkt, zie je er zelfs twee. Je besluit je sportactiviteiten weer te hervatten. Wanneer je in de richting van de regenboog fietst, verdwijnt deze.

Als je eens even nadenkt over de verschijnselen die in dit probleem beschreven worden, dan zullen er al gauw gedachten bij je opkomen als de volgende.
Nou, volgens mij gaat het over het ontstaan en weer verdwijnen van regenbogen. Dat heeft iets te maken met prismawerking. Zo'n regendruppel werkt als een prisma waarin het licht breekt en dan verstrooid wordt. Dan krijgt je ook al die kleuren te zien. Het zijn natuurlijk ontzettend veel regendruppels die het licht breken en verstrooien. Dan moet de zon dus onder een bepaalde hoek staan ten opzichte van die regenbui. Je ziet immers een regenboog vooral tegen de avond. Maar hoe komt het dan dat die verschillende kleurenlagen zo mooi verspreid zitten? Moet ik zo'n regenbui zien als een grote regendruppel? Hoe zat dat ook al weer met dat kleurenspectrum? Groenblauw aan de binnenkant, roodoranje aan de buitenkant, dacht ik. Maar die tweede regenboog, ik dacht wel eens gezien te hebben dat daarbij het kleurenspectrum omgekeerd aan de eerste boog zit. Of toch niet? In ieder geval waren die kleuren fletser. Waarom dat zo is, weet ik eigenlijk niet. Ik begrijp ook niet goed waarom het een boog is. Zou dat te maken kunnen hebben met de vorm van de hemellichamen? De aarde en de zon zijn rond. Zie je dan maar de helft van een boog? Ik heb wel eens gelezen dat je vanuit een vliegtuig een regenboog als een mooie ronde cirkel ziet. Maar die is dan toch in een horizontaal vlak zichtbaar. Ik begrijp ook niet goed hoe die regenboog verdwijnt als je dichterbij komt. Dichterbij komen is toch slechts relatief? Zou dan de hoek waaronder je de regenboog waarneemt veranderen waardoor die verdwijnt? Of veranderen in de tijd dat je nadert, de atmosferische omstandigheden zodanig dat zo'n regenboog 'zich oplost'?

De persoon die hier hardop nadenkt, blijkt een hoeveelheid voorkennis te hebben

over de verschijnselen die wij hem ter verklaring hebben voorgelegd. Hij weet iets over prismawerking, over de verstrooiing van licht, over het kleurenspectrum, over de hoek waaronder lichtbreking plaatsvindt waardoor een regenboog ontstaat. Verder heeft hij vermoedens over van alles en nog wat. Ook stuit hij op dingen die hij niet weet of snapt: 'Hoe komt het dan dat die verschillende kleurenlagen zo mooi verspreid zitten?', 'Ik begrijp ook niet goed hoe die regenboog verdwijnt als je dichterbij komt.' Het kan zijn dat je als lezer preciezere ideeën hebt over de oorzaken van de in het probleem beschreven verschijnselen. Misschien heb je meer voorkennis dan de hardop nadenkende persoon, of ben je slimmer in het leggen van verbanden tussen de gegevens. Maar als je de opdracht serieus genomen hebt en je bent geen natuurkundige, dan zullen er ook bij jou vragen zijn opgekomen over de processen die aan het ontstaan van regenbogen ten grondslag liggen en zal je nu wellicht een behoefte voelen om er meer over te weten, zodat je het verschijnsel beter kunt verklaren.
Daarmee hebben we meteen de ingrediënten genoemd van een onderwijsmethode die *probleemgestuurd onderwijs* genoemd wordt (in het Engels: problem-based learning). Die ingrediënten zijn: een *probleembeschrijving* die uitdaagt tot nadenken (niet alleen theoretische maar ook praktische problemen worden gebruikt); *voorkennis* die door dat nadenken geactiveerd, weer actief gemaakt wordt; *vragen* die bij je opkomen en de behoefte of *motivatie* die ontstaat om eens precies uit te zoeken hoe het nu eigenlijk zit. Als dat hardop nadenken nu ook nog plaatsvindt *samen met anderen* die ook in dat probleem geïnteresseerd zijn en *onder begeleiding* van een docent, dan is onze eerste schets van probleemgestuurd onderwijs compleet.
We zullen in de rest van dit boek deze schets verder uitwerken. Laten we beginnen met het voorafgaande eens te beschrijven binnen het kader van een onderwijsprogramma: een probleem wordt aan de student gepresenteerd als *startpunt* van het leerproces, dat wil zeggen nog voordat de leerstof is bestudeerd. De student heeft tot taak het probleem te analyseren. Dat doet hij meestal in een groep (de *onderwijsgroep*), die begeleid wordt door een docent (de *tutor*). In eerste instantie probeert de groep op basis van de aanwezige voorkennis een *voorlopige analyse* van het probleem te maken. Tijdens deze analyse zullen vragen opkomen over een aantal zaken die niet direct begrepen, verhelderd of verklaard kunnen worden. Die vragen vormen de basis voor *het formuleren van leerdoelen* voor *zelfstudie*. In de tijd die verloopt tussen twee groepsbijeenkomsten (meestal enkele dagen) werken studenten individueel of met elkaar aan de leerdoelen door het bestuderen van boeken en artikelen, het bekijken van videobanden, het raadplegen van webpagina's en docenten, enzovoort. Na deze fase van zelfstudie *integreren* de studenten in een groepsbijeenkomst aan elkaar wat ze bestudeerd hebben en gaan na in hoeverre zij het probleem nu beter begrijpen.

Probleemgestuurd onderwijs is meestal georganiseerd in een *onderwijsblok* waarin een bepaald *thema* gedurende een aantal weken centraal staat. De voor het blok verantwoordelijke docenten stellen een *blokboek* samen, dat we kunnen beschouwen als het spoorboekje voor de studenten bij hun reis door de leerstof. De kern van het blokboek bestaat uit probleembeschrijvingen die een uitwerking zijn van het *thema* van het blok. Daarnaast bevat het blokboek een korte inleiding op het thema, roosters, groepsindelingen, lijsten met te raadplegen literatuur, audiovisuele middelen en computerprogramma's en een overzicht van aanvullende onderwijsactiviteiten als practica, colleges, excursies en vaardigheidstrainingen. Een blokboek is dus *geen* syllabus of dictaat; het geeft wel aan *hoe* de leerstof over een bepaald thema kan worden geleerd, maar het bevat niet de leerstof zelf.

Probleemgestuurd onderwijs werd in 1969 geïntroduceerd aan de Medische Faculteit van de McMaster University in Hamilton, Canada. Sindsdien heeft deze onderwijsmethode snel aan populariteit gewonnen. Universiteiten en hogescholen verspreid over de gehele wereld gebruiken deze onderwijsmethode als basis voor hun onderwijsprogramma.
In Nederland werd probleemgestuurd onderwijs in 1974 voor het eerst toegepast aan de faculteit der geneeskunde van de Universiteit Maastricht. Ook de andere onderwijsprogramma's binnen die instelling (rechten, economie, psychologie, cultuurwetenschappen en gezondheidswetenschappen) gebruiken deze onderwijsaanpak. Aan andere Nederlandse universiteiten en in het hoger en middelbaar beroepsonderwijs wordt probleemgestuurd onderwijs ook steeds vaker toegepast in allerlei sectoren, zoals techniek, economie, gezondheidszorg en bij lerarenopleidingen.

Howard Barrows, een van degenen die veel heeft bijgedragen aan de ontwikkeling van deze methode, formuleert de belangrijkste *voordelen* als volgt. In probleemgestuurd onderwijs worden drie belangrijke doelstellingen van onderwijs gelijktijdig bevorderd:
1 het verwerven van kennis die onthouden wordt en bruikbaar is
2 het leren leren (self-directed learning)
3 het leren analyseren en oplossen van problemen

Die voordelen komen echter pas naar voren, wanneer je als student een actieve leerhouding hebt: nieuwsgierig bent naar de achtergrond van vakproblemen, je reeds aanwezige kennis probeert te gebruiken en nieuwe kennis en vaardigheden opdoet door leerstof gericht te bestuderen. Leren (het verwerven, onthouden en weer terugroepen van kennis) binnen een bepaalde context, dus gekoppeld aan een bepaalde vraagstelling, is effectiever dan het verwerven van feiten en inzicht door zo maar een studieboek ter hand te nemen.

Probleemgestuurd onderwijs gaat ervan uit dat je als student in staat bent zelfstandig te studeren zonder de voortdurende vingerwijzingen van een docent nodig te hebben. Maar dit accent op het leren van de student betekent ook een grotere eigen verantwoordelijkheid: je moet vaker dan elders zelf je studiemateriaal opzoeken, zelf (leren) beslissen wat nu relevant is of niet, zelf een studieweg uitstippelen, zelf aan medestudenten en docenten vragen wat je niet begrijpt, zelf aan medestudenten uitleggen wat je bestudeerd hebt.

Natuurlijk dragen de docenten ook verantwoordelijkheid. Zij dienen de thema's aan te dragen die de student op adequate wijze inleiden in de verschillende vakgebieden, zij dienen te zorgen voor een begrijpelijke route door de leerstof en voor een duidelijke integratie van verschillende vakgebieden. In de onderwijsgroep helpen zij studenten bij het werken aan de problemen uit het blokboek en ondersteunen zij hun samenwerking. En voorts hebben zij de plicht op een adequate wijze leerresultaten te toetsen.

1.2 Wat is leren?

Om te begrijpen hoe probleemgestuurd onderwijs werkt, is het nuttig iets meer te weten over hoe mensen leren. In deze paragraaf zullen we daar kort iets over zeggen. We concentreren ons daarbij op drie begrippen: *elaboratie, leren in context,* en *intrinsieke motivatie.*
Een belangrijke rol bij menselijk leren wordt gespeeld door een denkproces dat 'elaboratie' wordt genoemd. Elaboratie betekent letterlijk 'uitwerken', en bestaat daarin dat je probeert datgene wat je moet leren te *verrijken* met kennis die je al hebt. Als je dat doet, wordt datgene wat je oorspronkelijk probeerde te leren beter onthouden. Een triviaal voorbeeld: stel dat je moet leren dat de Slag bij Nieuwpoort heeft plaatsgevonden in het jaar 1600. Een dergelijk feit is vaak moeilijk te onthouden, maar je kunt het jezelf makkelijker maken door andere feiten aan te halen die met dit feit in verband staan. Bijvoorbeeld: je weet reeds dat de Tachtigjarige Oorlog duurde van 1568 tot 1648. Je weet ook dat de Slag bij Nieuwpoort gedurende die oorlog werd uitgevochten. Bovendien weet je dat prins Maurits, die deze slag streed, een zoon was van Willem de Zwijger, die in 1584 door Balthazar Geeraerts in Delft vermoord werd. Deze feiten uit je geheugen ophalen, terwijl je probeert te leren dat de Slag bij Nieuwpoort in 1600 gestreden werd, helpt je dit laatste feit beter te onthouden. Een tweede, simpeler, voorbeeld. Je moet bij het vak Engels leren dat het Engelse woord voor tante 'aunt' is. Je weet al dat het Engelse woord voor mier 'ant' is. Door nu simpelweg te denken: 'mijn tante lijkt op een mier', zul je in de toekomst het Engelse woord 'aunt' herinneren, telkens wanneer je het woord 'tante' in een Engelse zin moet gebruiken. Elaboratie is dus een activiteit die ertoe bijdraagt dat je makkelijker nieuwe kennis verwerft en die nieuwe kennis ook langer onthoudt. Je kunt dus blijkbaar nieuwe dingen leren, door er oude kennis bij te betrekken.
Elaboratie speelt in probleemgestuurd onderwijs een centrale rol, en wel op drie manieren. Wanneer je in je onderwijsgroep over een probleem begint te spreken, activeer je kennis die je al hebt over dat probleem. Andere studenten hebben echter ook kennis over dat probleem, en die kennis kan nieuw voor jou zijn. Al pratend en nadenkend integreer je datgene wat anderen vertellen met datgene wat jezelf bijdraagt. Aan het einde van zo'n discussie heb je dus al meer kennis dan je had toen je met die discussie begon. Door gezamenlijke elaboratie is jouw individuele kennis van het probleem verrijkt.
Zoals hierboven uitgelegd, ga je na een initiële discussie, en nadat leerdoelen

geformuleerd zijn, zelfstandig nieuwe informatie verwerven. Tijdens je zelfstudie bestudeer je nieuwe informatiebronnen. Je probeert de nieuwe informatie te koppelen aan reeds verworven kennis. Je stelt jezelf vragen over de leerstof, zoekt naar voorbeelden, probeert hoofdzaken van bijzaken te onderscheiden, maakt samenvattingen, of denkt kritisch na over de waarde van de nieuwe informatie. Kortom, je verrijkt je kennis over het onderwerp dat je bestudeert op verschillende manieren. Je elaboreert!
Na de periode van zelfstudie, spreek je opnieuw met je groepsleden over het probleem. De groep gaat na in hoeverre zij nu het probleem beter begrijpt. Groepsleden proberen aan elkaar uit te leggen wat ze wel of niet begrijpen van de nieuwe informatie, hoe de informatie in elkaar past, wat de waarde is van bepaalde theorieën of uitspraken van auteurs, hoe de nieuwe informatie concreet gemaakt kan worden en wat toepassingsmogelijkheden zijn van de nieuwe informatie. Al pratend vindt dan opnieuw elaboratie, verrijking van de leerstof, plaats.
Wat is de moraal van dit verhaal? Die is dat leren opgevat als het in je hoofd stampen van allerlei feiten niet erg effectief is. Veel effectiever is die feiten in te bedden in wat je al weet. Je kunt dat doen door zelf na te denken, of door er met anderen over te praten. Dit is nu precies wat er gebeurt in probleemgestuurd onderwijs. Onderzoek heeft uitgewezen dat studenten *meer* onthouden van leerstof die verworven is gestuurd door een probleem. Bovendien wordt die leerstof *langer* onthouden.

Een tweede verschijnsel dat met leren samenhangt, is dat mensen beter leren wanneer ze dat doen aan de hand van een concrete situatie. Wanneer je moet leren dat de Slag bij Nieuwpoort in het jaar 1600 was, zul je dat beter doen, als je eerst een verhaaltje hebt gelezen waarin die gebeurtenissen concreet zijn beschreven. Het te leren feit wordt met andere woorden beter onthouden wanneer het in verband gebracht kan worden met een concrete situatie. Een ander voorbeeld: als je weet in welke situatie, bijvoorbeeld bepaalde medische, kennis wordt gebruikt, wordt het gemakkelijker om die kennis te leren. In probleemgestuurd onderwijs vormt het thema van een blokboek en de daarin passende problemen de concrete situaties in de *context* waarvan geleerd wordt. En dat laatste helpt dus weer om het geleerde *beter* en *langer* te onthouden.

Het derde element dat van belang is voor leren, is intrinsieke motivatie. (Motivatie is de *wil* om iets te leren). Psychologen nemen aan dat er grofweg twee vormen van motivatie zijn: extrinsieke en intrinsieke motivatie. Wanneer je extrinsiek gemotiveerd bent om te leren, studeer je niet zozeer omdat de stof je interesseert, maar omdat je een beloning verwacht, bijvoorbeeld een voldoende op je tentamen, een cadeau van je ouders, meer salaris later. Bij intrinsieke motivatie studeer je omdat je geïnteresseerd bent in de stof zelf. Je vindt die boeiend, de moeite waard. Verondersteld wordt dat probleemgestuurd onderwijs de intrinsieke motivatie tot leren bevordert. Dat laatste leidt niet zonder meer tot *beter* leren, maar is niettemin mooi meegenomen.

1.3 Leren van en met elkaar

In probleemgestuurd onderwijs moet je niet alleen veel zelf doen, je werkt ook veel met anderen samen. Probleemgestuurd onderwijs onderkent en benadrukt het *interactieve* aspect van het leren. In een onderwijsgroep kunnen medestudenten over andere informatie beschikken, nieuwe ideeën aandragen ter verklaring van de beschreven verschijnselen in het probleem en studiebronnen opnoemen die door andere groepsleden over het hoofd zijn gezien. Dankzij de gemengde samenstelling van de groep, naar vooropleiding, geslacht, leeftijd, levenservaring en maatschappelijke inzichten, kunnen de groepsleden die zich daarvoor open stellen, veel van elkaar opsteken. Dat betekent overigens niet dat zij het altijd met elkaar eens zullen zijn. In een onderwijsgroep ontwikkelen zich regelmatig situaties waarin men het met elkaar oneens is: de een heeft een andere verklaring voor een bepaald probleem dan de ander, of denkt dat bepaalde informatie anders geïnterpreteerd dient te worden. Dergelijke verschillen van inzicht over leerstof kunnen voor het leren zeer vruchtbaar zijn. Immers, door uit te leggen hoe je over iets denkt, door vragen te stellen, door iemands ideeën samen te vatten ben je actief bezig met de leerstof en kun je je kennis verrijken. Maar ook als er verschillen van inzicht zijn over persoonlijke en maatschappelijke opvattingen, kun je in de onderwijsgroep je eigen opvattingen verhelderen door ze te toetsen aan afwijkende meningen. Leren vindt vooral plaats waar standpunten besproken en met argumenten onderbouwd worden.
Leren van en met elkaar in een onderwijsgroep veronderstelt een bereidheid van alle deelnemers om actief samen te werken. Een onderwijsgroep kan alleen floreren als ieder groepslid bereid is 'er iets te brengen'. Groepen waar studenten slechts heengaan 'om iets te halen' leiden een weinig vruchtbaar bestaan. Voorts is tolerantie voor de opvattingen van anderen belangrijk. Ten slotte is het van belang dat in een onderwijsgroep volgens bepaalde procedures wordt gewerkt en zijn vaardigheden om adequaat samen te werken onmisbaar. Daarop komen we in de navolgende hoofdstukken nog uitvoerig terug.

1.4 Wat weten we van de effectiviteit van probleemgestuurd onderwijs?

Studenten worden dikwijls blootgesteld aan onderwijsvormen die nauwelijks of niet wetenschappelijk onderzocht zijn. Zo is er bijvoorbeeld relatief weinig onderzoek verricht naar het fenomeen hoorcollege, ongetwijfeld de onderwijsvorm die in het hoger onderwijs het meest wordt toegepast. Hierdoor is er momenteel niet veel bekend over hoe effectief hoorcolleges zijn voor het verwerven van nieuwe kennis. Omdat probleemgestuurd leren gold als een tamelijk nieuwe leer- en onderwijsbenadering, hebben de voorstanders ervan veel argwaan en kritiek ondervonden uit de hoek van de voorstanders van meer traditionele onderwijsmethoden. De sceptische houding van deze tegenstanders vormde een goede motivatie om veel onderzoek naar de doeltreffendheid

van probleemgestuurd onderwijs te verrichten. Hieronder volgt een beknopte samenvatting van wat bekend is over de effecten van probleemgestuurd leren. De bevindingen die het eerst gepresenteerd worden, zijn gebaseerd op vergelijkingen tussen probleemgestuurde en conventionele lesprogramma's.[1]
Ten eerste hebben studenten die een probleemgestuurd programma volgen veel meer plezier in hun opleiding dan studenten in vergelijkbare, conventionele lesprogramma's. Ze ervaren minder stress, voelen zich minder vaak machteloos, zijn minder fatalistisch ingesteld en voelen zich beter gesteund door hun leeromgeving.[2] Zij zijn daarnaast van mening dat hun opleiding veel beter aansluit op hun toekomstige beroepsleven. Bovendien merken deze studenten op dat ze liever onderwijs krijgen in kleine groepen dan dat ze hoorcolleges volgen.
Ten tweede eindigen probleemgestuurde lesprogramma's in Nederlandse landelijke onderzoeken naar de kwaliteit van hoger onderwijs steevast als eerste of tweede in hun categorie.[3] Ten derde geven studenten die in het probleemgestuurde onderwijs een diploma hebben behaald, vaker aan dat zij een hogere dunk hebben van hun interpersoonlijke vaardigheden, zoals het werken in teamverband, overleggen met cliënten en leidinggeven. Daarnaast vinden zij zichzelf zelfstandiger, creatiever en geven afgestudeerden aan dat ze in het algemeen efficiënter werken.[4] Ten vierde geven zij er blijk van beter problemen te kunnen oplossen dan studenten die conventionele programma's hebben gevolgd,[5] hoewel ze niet over meer beroepsspecifieke kennis beschikken.[6]
Onderwijskundige experimenten vormen de tweede kennisbron met betrekking tot probleemgestuurd leren. Zo is er bijvoorbeeld op dit terrein een representatief onderzoek uitgevoerd, waarbij groepen geneeskundestudenten een probleem over de bloedsomloop kregen voorgelegd.[7] Deze groepen werden de experimentele groepen genoemd. De studenten bespraken eerst het probleem en bestudeerden vervolgens een tekst over levensfuncties die betrekking had op het onderhavige probleem. Andere groepen studenten ('de controlegroepen') bespraken een niet ter zake doend probleem (over perceptie) en bestudeerden vervolgens dezelfde tekst als de experimentele groep. Beide groepen moesten vervolgens een toets uitvoeren waarmee werd getest welke kennis ze uit de tekst hadden verworven. De groepen die een relevant probleem hadden besproken voordat ze de tekst hadden bestudeerd, behaalden een veel hogere score voor deze test, waaruit bleek dat zij meer hadden opgestoken van dezelfde tekst.
Natuurlijk heeft er meer onderzoek op dit terrein plaatsgevonden. Zo is er gekeken naar de cognitieve, motivationele en collaboratieve effecten van probleemgestuurd onderwijs.[8] Nagegaan is of deze effecten optraden en welke invloed ze hadden op het leerproces van de studenten in en buiten de onderwijsgroep. Het voert te ver om deze studies hier te bespreken. In het algemeen kan opgemerkt worden dat deze factoren het leren van de studenten in een probleemgestuurde leeromgeving positief beïnvloeden. Uiteraard moet daarbij opgemerkt worden dat deze effecten het sterkst optreden in probleemgestuurde leeromgevingen waarin docenten zich zorgvuldig bezig houden met een adequate constructie van de problemen waaraan de studenten werken en in situaties waarbij de docenten, in hun rol van tutor, studenten begeleiden op een wijze die bijdraagt aan het

verwerven van inhoudelijke kennis, het samenwerken en een groeiende zelfstandigheid van de studenten. Echter, niet alleen van de docenten mag iets verwacht worden! Studenten van hun kant moeten zich goed voorbereiden op de onderwijsgroepsbijeenkomsten en bereid en in staat zijn tot onderlinge samenwerking. Daarnaast moeten studenten niet leunen op docenten, maar initiatieven nemen die hen helpen om vaardigheden te leren die een docentonafhankelijk, autonoom, leervermogen bevorderen.
Samenvattend kan worden gesteld dat onderwijskundig onderzoek uitwijst dat probleemgestuurd leren het leerproces vergemakkelijkt, leren interessanter maakt en een leeromgeving biedt die studentvriendelijker is. Daarnaast voedt probleemgestuurd leren de ontwikkeling van beroepsrelevante competenties bij afgestudeerden. Al met al zijn dat goede redenen om serieus werk te maken van probleemgestuurd leren.

1.5 Probleemgestuurd onderwijs in een elektronische leeromgeving

In toenemende mate wordt er in opleidingen intensief gebruikgemaakt van een elektronische werkomgeving die het onderwijs ondersteunt. In zijn eenvoudigste vorm gaat het hier om e-mailfaciliteiten voor studenten en een elektronisch raadpleegbaar blokboek. Er zijn ook leeromgevingen waarin het samenwerken aan problemen buiten de onderwijsgroep wordt ondersteund, al dan niet in de vorm van een 'virtuele onderwijsgroep'. Elektronische leeromgevingen bieden vaak ook goede mogelijkheden om een duidelijk eindproduct van het leerproces vast te leggen in de vorm van een concluderend kort verslag aangevuld met verwijzingen naar elektronische voortgangsnotities of documenten. Om goed in een dergelijke omgeving te kunnen werken is het allereerst van belang om de mogelijkheden van een beschikbaar systeem goed te verkennen. Effectief gebruik vereist echter ook dat je regelmatig en tijdig activiteiten onderneemt om een goede bijdrage aan het groepsresultaat te kunnen leveren.
Het leren werken in een dergelijke leeromgeving is een goede voorbereiding op de latere beroepspraktijk, waarin in toenemende mate elektronische werkomgevingen worden gebruikt die vergelijkbaar zijn met elektronische leeromgevingen.

1.6 Vaardigheden in probleemgestuurd onderwijs

Tot slot willen we nog iets zeggen over vaardigheden die nodig zijn om met succes in een probleemgestuurd onderwijssysteem te studeren.
Er zijn op zich al grote verschillen tussen het voortgezet, het middelbaar en het hoger onderwijs. Voor het hoger onderwijs geldt:
- De hoeveelheid leerstof is omvangrijker.
- De stof is vaak van hoger niveau.
- De leerstof wordt dikwijls in een vreemde taal aangeboden.
- De te bestuderen stof omvat meer dan in de lessen wordt behandeld.

- Er wordt minder frequent getoetst of de leerstof begrepen wordt.
- Er wordt meer aan het eigen initiatief van studenten overgelaten.

Als daarbij nog gewerkt wordt volgens de probleemgestuurde onderwijsmethode, geldt bovendien:

- De stof wordt niet per vakgebied of per boek behandeld, maar aangeboden door middel van problemen met een multidisciplinair karakter.
- Er wordt een nog groter beroep op het eigen initiatief van studenten gedaan: zij moeten zelf een probleem analyseren, zelf leerdoelen formuleren en zelf literatuur zoeken.
- Studenten moeten met elkaar kunnen samenwerken in een onderwijsgroep.

In dit boek besteden we aandacht aan drie typen vaardigheden die van belang zijn in een probleemgestuurd onderwijssysteem:

1 vaardigheden in het methodisch werken aan problemen
2 vaardigheden in het verrichten van individuele studieactiviteiten
3 vaardigheden om succesvol in een onderwijsgroep te functioneren

In hoofdstuk 2 gaan we dieper in op het probleemgestuurde werken in de onderwijsgroep. De strategieën die men kan gebruiken bij het werken aan verschillende typen problemen worden hier verduidelijkt. In hoofdstuk 3 staat het werken in de onderwijsgroep centraal. We gaan in dat hoofdstuk in op de communicatie in een groep en op de verschillende formele en informele rollen die in de onderwijsgroep voorkomen. In hoofdstuk 4 worden de individuele studievaardigheden besproken. De nadruk ligt daarbij op studieactiviteiten die in probleemgestuurd onderwijs van belang zijn, zoals het opsporen en bestuderen van literatuur en het opzetten van een documentatiesysteem. In hoofdstuk 5 wordt een aantal vaardigheden besproken waarvan de beheersing noodzakelijk is om goed in onderwijsgroepen te kunnen functioneren. Onder meer komen aan de orde vaardigheden waarover alle leden van een onderwijsgroep moeten beschikken, zoals informatie vragen en geven, samenvatten, notuleren, feedback geven en ontvangen. Daarna bespreken we, in hoofdstuk 6, de vaardigheden die de gespreksleider moet beheersen om een goede inhoudelijke voortgang in de groep en onderlinge samenwerking tussen haar leden te bevorderen. En in hoofdstuk 7 bespreken we allerlei variaties op het model van probleemgestuurd onderwijs dat we hiervoor hebben besproken. Om eentonigheid bij het bespreken van problemen te vermijden kunnen deze varianten enerzijds tijdens de voor- en nabespreking van een probleem worden toegepast. Anderzijds kunnen deze variaties op probleemgestuurd onderwijs aan de studenten in opeenvolgende studiejaren binnen één opleiding worden aangeboden.

Referenties

1 In tegenstelling tot de andere paragrafen in dit boek bevat deze paragraaf enkele referenties. Deze referenties geven studenten en docenten die meer willen weten van onderzoek naar probleemgestuurd onderwijs, mogelijkheden om adequate bronnen te vinden.

2 Kiessling, C., Schubert, B., Scheffner, D., & Burger, W. (2004). First year medical students' perceptions of stress and support: a comparison between reformed and traditional track curricula. *Medical Education, 38* (5), 504-509.

Kuhnigk, 0., & Schauenburg, H. (1999). Psychological wellbeing, locus of control and personality traits in medical students of a traditional and an alternative curriculum. *Psychotherapie Psychosomatik Medizinische Psychologie, 49* (1), 29-36.

3 Keuzegids Hoger Onderwijs 2007-2008: Verzamelgids 2008. Leiden: Hoger Onderwijs Persbureau.

4 Schmidt, H.G., Vermeulen, L., & Van der Molen, H.T. (2006). Longterm effects of problem-based learning: a comparison of competencies acquired by graduates of a problem-based and a conventional medical school. *Medical Education, 40* (6), 562-567.

Schmidt, H.G., Cohen-Schotanus J., & Arends, L.R. (2009). Impact of problem-based, active learning on graduation rates for 10 generations of Dutch medical students. *Medical Education,* 43, 211- 218.

Schmidt, H.G., Van der Molen, H.T., Te Winkel, W.W. R., & Wijnen, W.H.F.W. (2009). Constructivist, problem-based, learning does work: A meta-analysis of curricular comparison involving a single medical school. *Educational Psychologist,* jrg. 24 (in druk)

5 Schuwirth, L.W., Verhoeven, B.H., Scherpbier, A.J., Mom, E.M., Cohen-Schotanus, J., Van Rossum, H.J., e.a. (1999). An inter- and intra-university comparison with short case-based testing. *Advances in Health Sciences Education: Theory and Practice, 4* (3), 233-244.

6 Van der Vleuten, C.P.M., Schuwirth, L.W.T., Muijtens, A.M.M., Thoben, A.J.N.M., Cohen-Schotanus, J., & Van Boven, C.P.A. (2004). Cross institutional collaboration in assessment: a case on progress testing. *Medical Teacher, 26* (8), 719-725.

7 De Grave, W.S., Schmidt, H.G., & Boshuizen, H.P.A. (2001). Effects of problem-based discussion on studying a subsequent text: a randomized trial among first year medical students. *Instructional Science, 29* (1), 33-44.

8 Dolmans, D.H.J.M., & Schmidt, H.G. (2006). What do we know about cognitive and motivational effects of small group tutorials in problem-based learning? *Advances in Health Sciences, 11*, 321-336.

2 Probleemgestuurd leren

2.1 Inleiding

In onderwijsgroepen zijn *problemen* het startpunt voor het leren. Docenten construeren, binnen het kader van het thema van het blokboek, een aantal problemen die door de leden van een onderwijsgroep geanalyseerd worden. Op basis van die analyse worden leerdoelen geformuleerd. Vervolgens wordt bepaalde literatuur bestudeerd en wordt het bestudeerde geïntegreerd in de groep. De problemen vormen de kern van een blokboek. De problemen worden gepresenteerd in de vorm van situatiebeschrijvingen, stellingen, studieopdrachten of citaten uit literatuur. Essentieel voor een effectieve studieaanpak is, dat *op een systematische wijze* aan de problemen wordt gewerkt. De groepsleden moeten proberen structuur aan te brengen in hun activiteiten door gericht naar een bepaald *resultaat* toe te werken. Met 'resultaat' wordt hier bedoeld: het verwerven van kennis en inzicht op het gebied dat onder de loep wordt genomen aan de hand van aanknopingspunten in het probleem. Het werken aan problemen dient te leiden tot beter begrip en nieuwe kennis. Het resultaat kan ook zijn: het oplossen van de gebeurtenissen die in de probleembeschrijving naar voren komen of het nadenken over verschillende visies die bestaan over ethische facetten die samenhangen met een probleem.
In dit hoofdstuk bespreken we hoe problemen uit blokboeken er kunnen uitzien en welke werkstrategieën (aanpakken) er zijn voor deze problemen. We bespreken achtereenvolgens: het verklaringsprobleem, het strategieprobleem en het dilemmaprobleem. Het hoofdstuk wordt afgerond met enkele overwegingen over het nut van deze wijze van leren voor je latere beroepspraktijk.

2.2 Het verklaringsprobleem

Een verklaringsprobleem dat speciaal voor onderwijsdoeleinden geconstrueerd is, bestaat uit *een min of meer neutrale beschrijving van een aantal verschijnselen of gebeurtenissen, die in een zekere relatie met elkaar lijken te staan.* Degene die met dat probleem geconfronteerd wordt, krijgt de opdracht die verschijnselen te analyseren door gebruik te maken van theorieën, regels en principes die binnen het betreffende vakgebied van belang zijn.
Verklaringsproblemen kunnen geformuleerd worden over tal van onderwerpen. De basisstructuur ervan is echter steeds dezelfde: er worden verschijnselen of gebeurtenissen beschreven, waarvoor je een of meer *onderliggende verklaringen* moet zoeken. Om die verklaringen op het spoor te komen, moet de groep uitzoeken welke mechanismen, processen of structuren, begrippen en regels mogelijk relevant zijn. Het doel van dat onderzoek is te begrijpen hoe die verschijnselen onderling met elkaar kunnen samenhangen. *Begrip* vormt de kern van de vakdeskundigheid in iedere professie.

De wijze waarop een verklaringsprobleem wordt gepresenteerd, de vormgeving van het probleem, kan uiteenlopen. Die presentatie kan bijvoorbeeld bestaan uit beschrijvingen van een situatie, een grafiek, een foto met een opdracht, videofragmenten, computersimulaties, een letterlijke weergave van een gesprek of enkele citaten uit een krantenartikel.
Bij sommige verklaringsproblemen is er aanvullende informatie beschikbaar, die tijdens het werken aan het probleem kan worden gebruikt. Soms is die informatie op afzonderlijke bladzijden in het blokboek opgenomen, soms ook beschikt de begeleidende docent over die aanvullende informatie.
In de boxen 1, 2 en 3 vind je een aantal voorbeelden van problemen uit verschillende vakgebieden.

Box 1 *Voorbeeld van een verklaringsprobleem gezondheidswetenschappen*

Getverderrie, monsters!
Thuisgekomen van zijn werk, moe en aan een bad toe, ontdekt Peter, manager op een groot accountancykantoor, twee spinnen in zijn badkuip. Hij deinst terug, gilt en rent weg. Uiteindelijk helpt een te hulp gesnelde buurvrouw hem uit zijn benaderde positie door rustig de diertjes in haar handen naar buiten te brengen. In de dagen en maanden daarna verandert Peters' gedrag geleidelijk. Hij isoleert alle ramen van zijn appartement. Vaak vraagt hij zijn buren al zijn kamers te controleren voordat hij naar binnen gaat. Woorden als 'spiderman', 'spin-off' en 'webmaster' maken hem erg nerveus.

Box 2 *Voorbeeld van een verklaringsprobleem geneeskunde*

Een tenniswedstrijd
Het is een warme dag in augustus. Je slooft je uit op de tennisbaan omdat je door je club geselecteerd wilt worden voor de regionale kampioenschappen. Na met 7-6, 6-7 en 6-2 onderuit te zijn gegaan tegen nummer acht van je club, ga je op weg naar de douche. Je hebt een vuurrood hoofd en bent bezweet over je hele lichaam. Je arm- en beenspieren trillen. De volgende dag heb je een pijnlijk gevoel in je speelarm en je benen.

Box 3 *Voorbeeld van een verklaringsprobleem economie*

Marktwerking in het Maastrichtse kroegwezen
Hoewel de uitbaters in het Maastrichtse caféwezen naar eigen zeggen weinig last ondervinden van hun concurrenten, is de concurrentie groot. Zo is het verloop aanzienlijk. Aan het Vrijthof liggen vrij dure cafés, maar de sfeer en chique aankleding vergoeden kennelijk veel, getuige de zomerse drukte op de terrassen.
In de overige bekende straten en pleintjes liggen de prijzen doorgaans iets lager. Als je echter een goedkoop pilsje zoekt, dan zul je vooral in kleine achterafstraatjes een café moeten binnengaan.

In veel gevallen lijkt de prijs van het bier in ieder geval hoger dan de marginale kosten, maar dat betekent nog niet dat er door iedere uitbater winst gemaakt wordt, zelfs niet op het Vrijthof.

2.3 Werken aan problemen: de zevensprong

Problemen lenen zich er bij uitstek voor om er met een onderwijsgroep aan te werken, mits men een goede aanpak kiest. Wanneer een groep zomaar aan de slag gaat, kan er veel tijd verloren gaan. Om dit te voorkomen hebben we een methode van werken ontwikkeld, die we kortheidshalve de *zevensprong* genoemd hebben. Deze zevensprong is speciaal afgestemd op het werken aan verklaringsproblemen.
De zevensprong bestaat uit zeven stappen die een onderwijsgroep moet doen om een maximaal leerrendement uit een probleem te halen. We sommen de zeven stappen op in box 4. Vervolgens gaan we op elk van deze stappen in en lichten ze zo nodig toe aan de hand van twee voorbeelden: een meteorologisch probleem (Een zomerse vakantiedag) en een psychologisch probleem (Wie ben ik?). De tekst van die problemen vind je in de boxen 5 en 6. Misschien is het een aardig idee om, voordat je het vervolg van deze tekst gaat bestuderen, eerst eens zelf na te denken over verklaringen voor de verschijnselen beschreven in deze problemen. Je kunt daardoor al wat oefenen met deze vorm van werken.

Box 4 *De zevensprong*

Stap 1 Verhelder onduidelijkheden in de tekst van het probleem.
Stap 2 Definieer het probleem: wat moet verklaard worden?
Stap 3 Brainstorm: produceer ideeën.
Stap 4 Orden de ideeën en diep ze op systematische wijze uit: elaboreer.
Stap 5 Formuleer leerdoelen.
Stap 6 Zoek aanvullende informatie buiten de groep.
Stap 7 Synthetiseer en test de nieuwe informatie.

Box 5 *Voorbeeld van een verklaringsprobleem meteorologie*

Een zomerse vakantiedag
Je vertoeft met vrienden in een vakantiebungalow op de Veluwe. Vanochtend zijn jullie met z'n allen vroeg op pad gegaan voor een fijne fietstocht door bos en heide. Het is een warme, vochtige zomerdag geworden. In de loop van de middag vormen zich hoge wolken aan het zwerk. Iedereen klaagt over zwoel en drukkend weer. De wolken worden steeds donkerder. Plotseling schieten in de verte lichtflitsen door de lucht. Je hoort het rommelen. Naarstig op zoek naar een plek om

te schuilen zie je opeens een knetterende lichtflits dichtbij, onmiddellijk gevolgd door een harde donderslag. Kort daarna begint het hevig te regenen. Wanneer je partner beschutting probeert te zoeken onder een groepje bomen trek je hem daar vandaan, het vrije veld in.

Box 6 *Voorbeeld van een verklaringsprobleem psychologie*

Wie ben ik?
Op 3 december 1979 stonden zo'n achtduizend mensen te wachten om een concert van de popgroep 'The Who' bij te wonen in het Riverfront Coliseum in Cincinnati. De rijen voor de kleine deuren waren lang, en toen de smalle deuren opengingen en de menigte de band hoorde proefspelen was het hek van de dam. Mensen aan de buitenkant drukten naar voren, waardoor vooraan in de rij fans werden platgedrukt. Mensen vielen flauw of werden omver gedrukt en belandden op de betonnen vloer. De menigte zag alleen de open deuren en hoorde de muziek. Onverstoorbaar baande de massa zich een weg naar de ingang, zonder oog te hebben voor anderen, die onder hun voeten werden vermorzeld. Elf mensen kwamen om het leven, velen raakten gewond.

2.3.1 Stap 1: verhelder onduidelijkheden in de tekst van het probleem

Het eerste dat met elk probleem moet gebeuren, is de verheldering van onduidelijke termen en begrippen in de tekst van de probleembeschrijving, zodat ieder groepslid begrijpt welke informatie gegeven is.
De problemen zoals ze tot nu toe in dit boek zijn gegeven, zijn op zich tamelijk eenvoudig te begrijpen. De situaties zijn kort en bondig beschreven. Moeilijke psychologische, juridische, economische, meteorologische of medische termen komen er niet in voor. Naarmate de studie vordert, zullen de problemen die voorgelegd worden uiteraard meer vaktermen bevatten en complexer van aard worden. Problemen beslaan dan niet meer enkele regels. Soms worden situatiebeschrijvingen voorgelegd van enige pagina's die rijkelijk gelardeerd zijn met vakjargon. In dat geval is het meestal nodig om eerst na te gaan of iedereen in de onderwijsgroep de in het probleem gebruikte begrippen en de geschetste situatie begrijpt. De kennis die sommige groepsleden hebben en een woordenboek, bieden vaak al uitkomst.
De eerste stap houdt ook in dat men het onderling eens wordt over de betekenis die aan verschillende termen in de probleembeschrijving gehecht moet worden. Daarbij gaat het dus om het op elkaar afstemmen van interpretaties. Ten slotte kan het nodig zijn dat de groep afspraken maakt over gegevens die niet in het probleem voorkomen. Dit om te vermijden dat groepsleden het probleem vanuit andere referentiekaders gaan bespreken.
Tijdens stap 1 van de zevensprong kunnen dus drie activiteiten ondernomen worden:

1 ervoor zorgen dat iedereen de terminologie begrijpt die in het probleem gebruikt wordt

2 ervoor zorgen dat iedereen de situatie zoals die weergegeven wordt, eenduidig hanteert
3 ervoor zorgen dat iedereen het eens is over zaken die niet in het probleem vermeld staan

Box 7 geeft een uitwerking van stap 1.

Box 7 *Een voorbeeld van stap 1: verhelder onduidelijkheden in de tekst van het probleem*

Gespreksleider:	Heeft iedereen het probleem gelezen? Goed. Zijn er onduidelijke termen?
Joa:	Zwerk, wat is dat eigenlijk?
Inge:	Dat is zoiets als het luchtruim.
Jan:	Dat is antiek Nederlands, dichterlijke taal en zo. Maar als we er luchtruim, hemel of zo onder verstaan, dan lijkt mij dat correct.
Gespreksleider:	Okay, het begrip zwerk vatten we dus op als luchtruim, hemel. We kijken thuis wel even na of dat juist is. Nog andere tekstuele problemen? (Kijkt rond.) Niemand? Is de situatie zoals die beschreven is helder? (Geen reactie.) Zullen we dan doorgaan met de probleemdefinitie?

2.3.2 Stap 2: definieer het probleem

De tweede stap van de zevensprong bestaat uit de precieze definitie van het probleem. De groep moet het erover eens worden welke verschijnselen in onderlinge samenhang verklaard moeten worden. De stap van probleemdefiniëring zorgt voor een afbakening van de grenzen waarbinnen de denk- en studieactiviteiten zich zullen afspelen. Soms is de probleemdefinitie direct zichtbaar. Ieder groepslid herkent en erkent het dan meteen als het centrale probleem. In dat geval kan men direct aan stap 3 beginnen. In sommige teksten van verklaringsproblemen daarentegen is de samenhang tussen de beschreven verschijnselen niet eenduidig en is er mogelijk sprake van verschillende deelproblemen. Soms kan de problematiek vanuit verschillende invalshoeken, bijvoorbeeld diverse vakgebieden of partijen in een conflict, benaderd worden. Het is dan van belang om de gegevens te ordenen en met elkaar tot overeenstemming te komen.
Het definiëren van de problemen is niet altijd even gemakkelijk. Vaak moeten de gegevens in de context van de professie waarvoor je opgeleid wordt geplaatst worden. Bij een medisch probleem zul je bijvoorbeeld moeten nagaan welke klachten en symptomen er zijn; bij een juridisch probleem welke partijen er zijn en in welke juridische relatie die partijen tot elkaar staan. Het kan dan zinvol zijn om de kernbegrippen uit het probleem in een schema te zetten.
Box 8 geeft een voorbeeld van de uitwerking van stap 2.

Box 8 *Een voorbeeld van het definiëren van een probleem*

Gespreksleider:	Zullen we dan doorgaan met de probleemdefinitie?
Jan:	Hoe ontstaat onweer eigenlijk?
Els:	En die bliksem en donder, natuurlijk.
Nina:	Een ander probleem is: hoe bescherm je je tegen de gevaren van onweer?
Gespreksleider:	Nog iemand iets? (Kijkt rond.) Niemand? Nou dan hebben we twee hoofdvragen. De eerste is: hoe ontstaat onweer en in het verlengde daarvan de bliksem en de donder? De tweede hoofdvraag is: hoe bescherm je je tegen onweer? Ik stel voor dat we over deze probleemstellingen elkaar eerst eens kort en bondig vertellen wat we ervan af weten.

De definitie van het psychologisch probleem zou bijvoorbeeld als volgt kunnen luiden: hoe komt het dat mensen in staat zijn om andere mensen dood te trappen onder de geschetste omstandigheden?

2.3.3 Stap 3: brainstorm: produceer ideeën

Wanneer je de tekst van een verklaringsprobleem doorleest en je je de beschreven situatie zo levendig probeert voor te stellen, komen er al snel ideeën en veronderstellingen over dat probleem bij je op. Die ideeën en veronderstellingen over hoe het probleem in elkaar zit, zijn gebaseerd op kennis die je al had voordat je met het probleem geconfronteerd werd, of ze zijn het resultaat van logisch denken. De analyse van het probleem in de groep bestaat nu uit nagaan wat de verschillende groepsleden weten of menen te weten over de processen en mechanismen die ten grondslag liggen aan het probleem. De kennis waarmee de groepsleden proberen verklaringen aan te reiken hoeft zich niet te beperken tot de informatie die zij tijdens vorige opleidingen verworven hebben. Ook informatie die voortvloeit uit het lezen van tijdschriften, het zien van tv-documentaires, het uitoefenen van bepaalde hobby's of informatie vergaard uit contacten met familieleden en vrienden kan ingebracht worden. De groepsleden proberen, hardop denkend, hun tot dan toe verworven kennis en ervaringen te activeren en op de beschreven verschijnselen in het probleem toe te passen. De groep beperkt zich daarbij niet tot het boven tafel brengen van feitelijke informatie ('Ik heb ergens gelezen dat...'), maar probeert ook en vooral op basis van gezond verstand mogelijke verklaringen te formuleren ('Zou het niet zo kunnen zijn dat...'). Het is daarbij essentieel dat ieder groepslid de kans krijgt om een bijdrage te leveren, voordat de opgeworpen ideeën, kennis en veronderstellingen verder uitgediept en kritisch onder de loep genomen worden. Dat is gemakkelijker gezegd dan gedaan. Vaak zie je dat wanneer iemand iets naar voren brengt, anderen hem in de rede vallen en zijn ideeën bekritiseren. Degene die de informatie inbracht, heeft dan de neiging ofwel om flink voor zijn standpunt op te komen zonder te luisteren naar wat de anderen zeggen, ofwel om zijn opvattingen af te zwakken en verder te zwijgen. Door beide communicatiepatronen gaat mogelijk zinvolle informatie voor de groep verloren.

De techniek van het *brainstormen* is een werkwijze die deze communicatieproblemen kan voorkomen. Essentieel in de brainstormtechniek is dat bepaalde regels in acht worden genomen die bevorderen dat zo veel mogelijk bruikbare kennis en ideeën aan de orde komen. De *grondregel* van de brainstormtechniek is dat *het produceren van ideeën wordt gescheiden van het uitwerken en kritisch beoordelen van die ideeën.*
De brainstorm begint door ieder groepslid kort de gelegenheid te geven om na te denken en eventueel in steekwoorden voor zichzelf ideeën te noteren. In een spontane volgorde komen de verschillende groepsleden aan de beurt om iets te zeggen. 'Spontaan' wil zeggen dat je ernaar moet streven om iemand de beurt te laten nemen op het moment dat hij een idee krijgt. Dat is alleen bij benadering mogelijk: het is uiteraard niet de bedoeling dat iedereen door elkaar gaat roepen. Deze aanpak is alleen hanteerbaar wanneer de groepsleden kort en krachtig zeggen wat zij denken, dus zonder uitweidingen. De productie van ideeën tijdens de brainstorm hoeft zich niet te beperken tot de gedachten die men bij het lezen van de probleemtekst krijgt. Er mag ook kort ingehaakt worden op veronderstellingen van andere groepsleden. Associëren op elkaars inbreng kan de groep helpen een rijkere omvang van verklaringen te vinden.
Het is verstandig om de geproduceerde ideeën steeds met behulp van een trefwoord te *noteren* op het bord.
Kort samengevat verloopt de procedure van het brainstormen dus als volgt:
- Groepsleden denken na over mogelijke verklaringen voor de verschijnselen beschreven in de probleemtekst en maken korte aantekeningen van hun verklaringen.
- Groepsleden vertellen 'spontaan' wat hun verklaring is.
- Eventuele vragen en kritische opmerkingen over die verklaringen worden 'opgezouten'.
- Alle ideeën worden kort en krachtig in steekwoorden op het bord genoteerd.
- Ideeën die opkomen naar aanleiding van de ideeën van medegroepsleden worden ook naar voren gebracht.
- Wanneer groepsleden aanduiden dat hun ideeën verwant of tegengesteld zijn aan datgene wat anderen inbrengen wordt dit met behulp van pijlen of andere symbolen op het bord aangegeven.

In de boxen 9 en 10 tref je enige fragmenten uit een dergelijke eerste probleemanalyse van de eerder gegeven voorbeelden aan.

Box 9 *Fragment van een mogelijke brainstorm over het probleem 'Een zomerse vakantiedag'*

Gespreksleider:	... De brainstorm; schiet maar eens los. Ontstaan van bliksem:
Joa:	Het heeft iets te maken met elektriciteit; met verschillen in lading, vonken die overspringen tussen wolk en aarde.
Har:	Wrijving, dacht ik?
Tom:	Ik meen wel eens gelezen te hebben dat het om statische elektriciteit gaat. Potentiaalverschillen in een wolk.

Gespreksleider:	Nog iets. (Stilte.) Dan nu onze gedachten over de donder.
Bas:	Die donder is natuurlijk de klap, vroeger dachten de mensen dat de god Donar met veel paarden en een wagen over de wolken reed.
Sven:	(Gelach.) Ik denk dat de lucht verplaatst wordt, die zet uit door de warmte van de bliksem. Dan botsen de wolken tegen elkaar, een explosie dus.
Gespreksleider:	Nog iemand hierover een idee?
Har:	Ik dacht dat door de bliksem een gat geslagen werd tussen de wolken, de wolken rollen dus als het ware weer terug. Dat zorgt voor die donder.
Gespreksleider:	Dus Sven zegt dat door uitzetten de wolken botsen. Har meent door ineenklappen. Nog iemand? (Kijkt rond.) Nee, dan het laatste punt: hoe kun je je tegen onweer beschermen?
Sven:	Onder de boom blijven is veilig, je hoeft alleen maar genoeg afstand van de stam te houden.
Joa:	Ik dacht dat je het vrije veld in moest lopen.
Har:	Ja, op je hurken gaan zitten.
Sven:	Maar de bliksem zoekt toch altijd het hoogste punt, hoe springt ie dan over op je lichaam, je staat toch zeker een stukje van de stam af?
Gespreksleider:	Verder nog iets? (Kijkt rond, niemand reageert.) Goed, dan stel ik voor dat we nou diepgaander over onze ideeën gaan discussiëren. Zullen we even kijken wat er op het bord staat?

Box 10 *Fragment van een mogelijke brainstorm over het probleem 'Wie ben ik?'*

Gespreksleider:	Het is dus de bedoeling dat we eerst een aantal ideeën formuleren over het probleem. Hoe komt het dat mensen in staat zijn andere mensen dood te trappen in situaties als de in het probleem geschetste? Wie mag ik het woord geven?
Gino:	Het zou natuurlijk kunnen zijn dat dit per ongeluk gaat. Maar dat denk ik niet. Die mensen wilden The Who blijkbaar zo graag zien, dat ze al het andere vergaten. Als je iets heel graag wilt, dan heb je de neiging om al het andere opzij te zetten.
Anique:	Het is natuurlijk ook donker. Je bent dan meer anoniem en voelt je misschien minder verantwoordelijk voor het lot van andere mensen. Bovendien zijn er veel mensen, en veel mensen die je misschien niet kent. Volgens mij versterkt dat het gevoel van anoniem zijn.
Peter:	Die mensen hadden vast gedronken en dan krijg je dat. Dan voelen mensen zich ook minder verantwoordelijk. Als je gedronken hebt, dan verlies je het besef van wat kan en wat niet kan. Je normen vallen weg.

Wilco:	In zo'n massa ben je opgenomen. Je bent niet langer een individu. Dat heb je ook bijvoorbeeld met carnaval; je verliest je eigen individualiteit en voelt je nergens meer voor verantwoordelijk.

2.3.4 *Stap 4: orden de ideeën en diep ze op systematische wijze uit*

In deze fase van de probleemanalyse gaat het erom dat de aanvankelijke ideeën door de groepsleden op systematische wijze verder worden geanalyseerd. *Analyseren,* letterlijk het ontbinden in samenstellende delen, houdt in het kunnen onderkennen van een interne samenhang, het kunnen ordenen van de verschillende elementen in hun onderlinge afhankelijkheid, relevante en irrelevante kenmerken van elkaar kunnen onderscheiden. Begonnen wordt met het *ordenen* van de ideeën. Gedachten die bij elkaar lijken te horen worden als een eenheid beschouwt, tegengestelde meningen worden als zodanig aangegeven. Wanneer een eerste, en wellicht voorlopige, *clustering* heeft plaatsgevonden wordt aan de ideeënbrengers gevraagd eens nauwkeuriger en uitvoeriger te vertellen wat hun idee inhoudt. Dit kunnen enerzijds duidelijke veronderstellingen zijn ('Ik denk dat hier sprake is van...'), anderzijds mogen de ideeën nog onaf zijn ('Ik meen wel eens gehoord te hebben dat...'). Tentatieve theorieën, hypothesen, soms moeizaam herinnerde kennis uit lang vervlogen tijden kunnen bijdragen aan het beter begrijpen van de verschijnselen beschreven in de probleemtekst.
In deze fase moet een groepslid natuurlijk de ruimte krijgen om zijn gedachten onder woorden te brengen! Andere groepsleden kunnen aanvullen, kritische vragen stellen of verder bouwen op eerder geopperde veronderstellingen. Studenten kunnen ook geheel verschillende verklaringen aandragen voor hetzelfde fenomeen of het helemaal niet eens zijn met een bepaalde vooronderstelling van een groepslid. Deze verschillen van opvatting worden vervolgens uitgediept, ideeën worden kritisch besproken en met elkaar vergeleken.
Tijdens deze uitdieping van ideeën zal vaker blijken dat er onduidelijkheden zijn. Een groepslid blijkt toch niet zo goed te weten hoe het nu precies zit. Diverse groepsleden verschillen grondig van elkaar over wat de 'juiste' verklaring zou kunnen zijn. Er blijven tegengestelde verklaringen voor een bepaald fenomeen. Nieuwe vragen komen op, die niet door groepsleden beantwoord kunnen worden. De kennis die je al over een bepaald probleemgebied bezit, zal immers in de meeste gevallen niet toereikend zijn om in dit stadium een complete uitleg voor de in het probleem geschetste situatie te geven.
Dergelijke onduidelijkheden en tegenstrijdigheden vormen de basis voor stap 5: het formuleren van leerdoelen.
In box 11 tref je een fragment aan waarin een eerste ordening en een systematische uitdieping van het eerder gegeven voorbeeld uitgewerkt wordt.

Box 11 *Fragment van een mogelijke ordening en systematische uitdieping van het probleem 'Een zomerse vakantiedag'*

Gespreksleider:	... Zullen we even kijken wat er op het bord staat? (Somt op welke steekwoorden de notulist heeft opgeschreven.) bliksem: (statische) elektriciteit, wrijving, ladingsverschillen, donder: luchtverplaatsing → uitzetting: wolken tegen elkaar of ineenklappen? bescherming: niet onder boom, gehurkt in vrije veld, niet liggen, verplaatsing bliksem-boom-lichaam? Goed, ik stel voor dat we onze ideeën eens nader gaan uitdiepen. Zullen we het eerst eens hebben over de oorzaken van de bliksem. Het had iets te maken met elektriciteit, wrijving. Joa? Har? Jullie hadden hier een idee over?
Har:	Die lichtflitsen die je ziet zijn vonken die overspringen tussen de wolken en de wolken en de aarde. Dat is een verschil in lading, in eh, voltage. Ik denk dat de wolken over elkaar heen schuren. Daardoor ontstaat wrijving, spanning. Als je met een kam door je haar wrijft, ontstaat ook elektriciteit. Hoe zat dat ook alweer met die doek en die ebonieten staaf, plus en min? Statische elektriciteit noemden ze dat.
Inge:	Ik begrijp niet hoe die lading dan ontstaat, zijn er dan positieve en negatieve wolken?
Els:	Jazeker, daardoor botsen die wolken ook tegen elkaar. Die worden naar elkaar toegetrokken.
Sven:	Die verschillen ontstaan toch in de wolken, van boven naar beneden? Meestal heb je onweer in de zomer, dan is de aarde warm. Door verwarming stijgt de lucht op, en koelt dan weer af. Ik begrijp niet hoe die wolken aan hun lading komen. Dat zijn toch regendruppels?
Har:	Klopt, maar die regendruppels gaan over in ijs. Onweerswolken gaan ontzettend hoog. Daardoor vindt er bevriezing van de waterdruppels plaats. Er ontstaan ijskristallen. Die worden door de opwaartse turbulentie in de wolk mee omhoog gezogen. Ik denk dat het verschil in lading ontstaat doordat boven in de onweerswolk ijskristallen zitten en onderin waterdruppels. Bovenin zit dan positieve lading en onderin negatieve. Hiertussen ontstaat de bliksem.
Els:	En hoe verklaar je dan dat er bliksemflitsen tussen de wolken en tussen een wolk en de aarde worden waargenomen?
Har:	Dat weet ik ook niet precies ...
Tom:	Het zou wel eens zo kunnen zijn dat het vocht in die wolken

	de geleiding van de elektriciteit bevordert. Maar waar zit plus en min nou precies? En wat is de aarde: plus of min?
Nina:	Min. Er is ook steeds een stroom van de wolken naar de aarde en van de aarde naar de wolken. Er moet evenwicht zijn tussen de atmosfeer en de aarde. Misschien dat de bliksem daar een rol in speelt?
Gespreksleider:	Ik hoor nogal wat verschillende dingen. Ladingsverschillen in of tussen wolken, een beschrijving van het proces waardoor elektriciteit ontstaat, een mogelijke relatie tussen bliksem en elektrische stromen tussen aarde en atmosfeer
Nina:	Ik heb wel eens gehoord dat in de tropen veel onweer is en dat dat een functie heeft in de wisselwerking tussen aarde en atmosfeer. Tussen beide zijn ladingsverschillen die niet oneindig kunnen doorgroeien. Er moet af-en-toe een, eh, uitwisseling zijn. Bliksem draagt daartoe bij. Maar hoe?
(Stilte)	
Gespreksleider:	Dat is het zo'n beetje? (Kijkt naar het bord waar de notulist een schema heeft gemaakt op basis van de gemaakte opmerkingen.) Samenvattend hebben we dus verondersteld dat warme lucht opstijgt, deze op grote hoogte afkoelt waardoor condensvorming en bevriezing optreedt met als gevolg ijsvorming en potentiaalverschillen. Verder is er nog hevige turbulentie. Bliksem lijkt bovendien een rol te vervullen in het evenwicht tussen atmosfeer en aarde. Vragen: Op welke wijze ontstaat elektriciteit bij bliksem? Hoe ontstaat die elektriciteit dan in de wolken? Waar zit het verschil in lading? Is de aarde plus of min? Wat is de relatie tussen atmosfeer en aarde?
Gespreksleider:	Goed. Nou die donder. Dat was luchtverplaatsing?
Har:	De donder komt altijd na de bliksem, zou dat er iets mee te maken kunnen hebben? Ik geloof dat dan lucht verplaatst wordt, de lucht stort zich in het gat dat door de bliksem ontstaan is.
Joa:	Nee, door die elektrische stroom die ontzettend heet is, zetten die wolken enorm uit. Op een bepaald moment botsen ze dan tegen koudere wolken die niet uitgezet zijn. Daardoor ontstaat die donder.
Bas:	Ik dacht dat de lucht eerst wordt samengedrukt en dan uitzet.
(...)	
Gespreksleider:	(Vat weer samen, geeft de vragen die gerezen zijn weer.) Goed, dan de laatste vraagstelling, bescherming tegen bliksem.

Joa:	Het is hartstikke gevaarlijk onder zo'n boom, je kunt beter het gras in lopen.
Bas:	Ja maar, dan moet je wel gaan liggen, anders ben je nog het hoogste punt.
Sven:	Hoe kun je je nou buiten beschermen tegen de bliksem?
Tutor:	Har opperde daarstraks dat je het beste op je hurken kon gaan zitten. Waarom, Har?
Har:	Ja, met je benen enigszins van elkaar, op je voorvoeten. Je moet het contact met de grond zo klein mogelijk houden en uit de buurt blijven van een fiets of andere metalen voorwerpen.
Tutor:	Vreemd. Ik heb wel eens gehoord dat je het beste in een auto kunt kruipen.
Inge:	De kooi van Faraday heette dat, geloof ik. Dan geleidde het ijzer de stroom naar de grond.
Nina:	Maar die banden zijn toch van rubber. Dat geleidt toch niet? En die strookjes die je soms onder de auto's ziet, die zijn toch ook niet van ijzer?
(Stilte)	
Gespreksleider:	Als we verder niks meer weten over beveiliging tegen onweer, dan stel ik voor dat we leerdoelen formuleren. Inge heeft op het bord de verschillende vragen geschreven die we hadden bij de uitwerking van de verschillende probleemstellingen. Wie doet er een voorstel voor leerdoelen?

Bekijken we de brainstorm van het probleem 'Wie ben ik?', waaraan de groep psychologiestudenten werkte. Volgens deze studenten werd het plattrappen van mensen voorafgaande aan het concert van The Who veroorzaakt door twee psychologische processen, namelijk het verlies van individualiteit en het verlies van normbesef. Deze processen zouden op hun beurt veroorzaakt worden door het feit dat het donker was op het moment van de gebeurtenis, door verondersteld alcoholgebruik, door het feit dat veel mensen samen waren, en door het feit dat de meeste andere mensen onbekend waren. Op het bord zou dan het schema kunnen komen te staan dat we in box 12 hebben weergegeven. De systematische inventarisatie is dus een soort ordening en samenvatting van datgene wat de probleemanalyse heeft opgeleverd.

Box 12 *Schema van een ordening van de resultaten van de brainstorm van het probleem 'Wie ben ik'?'*

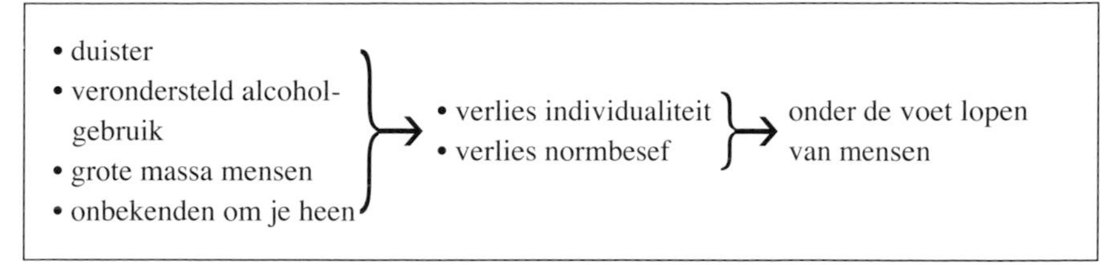

Het blijkt niet altijd eenvoudig om groepsleden ertoe over te halen om uit te leggen waarop hun gedachte of verklaring berust. Soms denken leden van een onderwijsgroep dat ze niet over voorkennis beschikken. Ze raken enigszins verlamd door de probleemstellingen die zij geformuleerd hebben, of zijn bang om af te gaan voor hun medegroepsleden. Toch is het mobiliseren van je reeds aanwezige kennis van groot belang: het dwingt je om te achterhalen wat je al weet of denkt te weten. Doordat je samen met andere groepsleden reeds aanwezige kennis activeert, wordt het begrijpen van nieuwe informatie bevorderd en wordt je aandacht op datgene wat je bestudeert doelgerichter. Het ophalen en verder uitwerken, of elaboreren, van eerdere kennis draagt ertoe bij dat je nieuwe informatie beter kunt leren en onthouden. Door de discussie word je wellicht nieuwsgierig naar de werkelijke verklaring van de besproken verschijnselen of ga je je afvragen wie waarover gelijk zou kunnen hebben.
In deze fase van analyse wordt bovendien duidelijk wat nog niet begrepen wordt, waarover de groepsleden twijfelen, wat de tegengestelde opvattingen zijn. Dat is precies zoals het moet zijn. Immers, als de groepsleden in staat zouden zijn om direct een overzichtelijke en sluitende verklaring te leveren voor het probleem, dan zou verder leren niet meer nodig zijn. De overgebleven vraagpunten, losse eindjes in de discussie, de onzekerheden en tegengestelde opvattingen vormen nu juist het startpunt voor verdere studie. Om dat studieproces richting te geven, formuleren de leden van de onderwijsgroep vraagstellingen, 'leerdoelen' geheten, waarop ze antwoorden proberen te vinden.

2.3.5 Stap 5: formuleer leerdoelen

Leerdoelen worden geformuleerd op basis van de onduidelijkheden of tegenstrijdigheden die tijdens de probleemanalyse opkomen en die beantwoord moeten worden om het probleem beter te begrijpen. Ze vormen de brug tussen de vragen die uit de probleemanalyse naar voren zijn gekomen en de kennis die in verschillende vakgebieden over die onderwerpen beschikbaar is. Leerdoelen kunnen beschouwd worden als de *studieopdrachten* die de onderwijsgroep zichzelf stelt op basis van de voorafgaande discussie. Ze zijn het uitgangspunt voor de studieactiviteiten in de periode tot de eerstvolgende groepsbijeenkomst.
Om goed te kunnen studeren is het belangrijk de leerdoelen zo te formuleren dat ze een goede ingang bieden voor het raadplegen van literatuur of andere leermiddelen, zoals een gegevensbank of een videoband. Natuurlijk zal daarin meestal

niet het concrete geval dat in het probleem beschreven wordt te vinden zijn met de antwoorden erbij. De vragen die in de discussie naar voren zijn gekomen, moeten daarom vaak tot een meer algemene vraag omgevormd worden, zodat duidelijker wordt welk onderdeel van welke vakken bestudeerd dient te worden. Vooral in het begin van de studie zal het enige moeite kosten om goede leerdoelen te formuleren. Je moet er ongetwijfeld aan wennen om op een bewuste manier vragen te formuleren ter 'sturing' van je eigen leerproces. Ook heb je in het begin geen duidelijk beeld van het begrippenapparaat in een vakgebied, waardoor het lastig kan zijn om tot een goede formulering te komen.

Leerdoelen moeten verder reiken dan het specifieke probleem dat aangeboden wordt. Je zult bij de formulering ook rekening moeten houden met de centrale thematiek van het blok. Gewoonlijk bevat de inleiding van het blokboek aanwijzingen over de algemene principes, theorieën en vakgebieden die van belang kunnen zijn bij het juist formuleren van de leerdoelen.
Voor onze voorbeelden zouden de leerdoelen er als volgt uit kunnen zien, zie box 13 en 14.

Box 13 *Mogelijke leerdoelen bij 'Een zomerse vakantiedag'*

Gespreksleider:	... Wie doet er eens een voorstel voor leerdoelen?
Inge:	We zouden al opzoeken wat 'zwerk' nou precies betekent.
Nina:	Waar we ook niet uitkomen is het ontstaan van bliksem en de rol van elektriciteit daarbij. Hoe elektriciteit ontstaat. Waar het verschil in lading zit: in of tussen wolken, waar de plus en de min zit of de aarde plus of min is. We hebben wel die theorie van Har over ijskristaldeeltjes en regendruppels, maar die verklaart niet alles. Het leerdoel zou kunnen zijn: is de theorie van Har over het ontstaan van de elektrische lading in de wolken correct? En hoe is die lading dan verdeeld: binnen of tussen de wolken?
Els:	We weten ook niet hoe de donder ontstaat. Of dat gebeurt door luchtverplaatsing als gevolg van uiteenzetting, explosie; of door het opvullen van 'gaten' tussen de wolken na de bliksemflits, implosie dus? Het tweede leerdoel zou kunnen zijn: is donder het gevolg van explosie of implosie, en hoe werkt dat dan?
Tom:	Verder wilden we meer weten over hoe je je nou, in dit geval en in het algemeen, buiten het beste beschermen kan tegen onweer. Waarom is het zo gevaarlijk onder bomen? Wat is de kooi van Faraday?
Gespreksleider:	Laten we die opmerking van Nina, wat is de functie van onweer in het hele klimatologische proces, niet vergeten.

De notulist schrijft de geformuleerde leerdoelen op het bord.

Box 14 *Mogelijke leerdoelen bij het probleem 'Wie ben ik?'*

- Zijn onze veronderstellingen waarom mensen zich in een menigte anders gedragen dan ze zich normaal gedragen, juist?
- Onder welke andere omstandigheden zouden mensen zich nog meer anders gaan gedragen dan ze normaal zouden doen?
- Welke rol spelen verlies aan individualiteit en normverlies?
- Wat zijn andere consequenties van dit gedrag?
- Zijn preventieve maatregelen mogelijk?

Onderwijsgroepen neigen er soms toe zich met de formulering van vage, algemene leerdoelen tevreden te stellen. Slecht geformuleerde leerdoelen hebben tot gevolg dat ieder groepslid nog eens individueel aan de gang moet om de leerdoelen te (her)formuleren. In een volgende bijeenkomst kan dan blijken dat ieder groepslid uiteindelijk zich op iets anders heeft gericht. Vage leerdoelen zijn niet alleen tijdverspilling voor de groepsleden gedurende de onderwijsgroepsbijeenkomsten en tijdens hun individuele studieactiviteiten, ze zijn ook vanuit het reeds eerder beschreven perspectief van leren weinig vruchtbaar. Door een oppervlakkige discussie en vage leerdoelen worden immers geen ankerpunten geschapen van waaruit de nieuwe leerstof actief bewerkt kan worden.
Probeer ook de leerdoelen te 'personaliseren': 'Is de theorie van Har...?'of 'Laten we die opmerking van Nina...'. Als leerdoelen gekoppeld worden aan de bijdragen van groepsleden wordt de onderwijsgroep 'eigenaar' van de leerdoelen. Dit eigenaarschap verhoogt de intrinsieke motivatie doordat de groepsleden meer persoonlijk betrokken worden bij de uitkomsten van hun zoektocht naar antwoorden.

Een levendige analyse kan aanleiding geven tot een nogal groot aantal leerdoelen; het is dan nodig om vast te stellen op welke wijze er aan die leerdoelen gewerkt zal worden. Het maken van afspraken tussen groepsleden over de *onderlinge taakverdeling* is dan ook een belangrijk punt.
Groepen hebben soms de neiging het werk dat gedaan moet worden in de periode tussen twee bijeenkomsten in deeltaken onder te verdelen, waarbij ieder groepslid één deelaspect moet uitzoeken. Bij de volgende bijeenkomst wordt aan elkaar verslag gedaan van wat iedereen gevonden heeft. Zo'n bijeenkomst krijgt dan het karakter van een aantal 'minicolleges'. Er kleeft aan een dergelijke aanpak een aantal bezwaren, waarvan de voornaamste is dat de individuele groepsleden, op het moment dat van hen verwacht wordt dat ze samenwerken, niets gemeenschappelijk hebben waar ze over zouden kunnen praten. Iedereen is specialist in een ander onderwerp. Er is dan ook meestal weinig discussie over de specifieke deelonderwerpen. Als je aan groepsleden vraagt: 'Waarom praten jullie niet wat verder over dat onderwerp?' antwoorden zij: 'Wat moeten we daar verder over zeggen? Wij hebben dat onderwerp niet bestudeerd, dus we weten er te weinig van.' Het samenwerken blijft in zo'n geval beperkt tot het noemen van de titel

van een bestudeerd boek of een fragmentarische samenvatting van het gelezene. Daarbij komt nog dat er geen controle mogelijk is op de juistheid van de informatie die door een individueel groepslid wordt verstrekt. Hij is de specialist, de enige die aan een bepaald deelaspect gewerkt heeft, dus wat hij daarover zegt zal wel waar zijn. De groep is ook erg kwetsbaar bij een dergelijke werkwijze: bij afwezigheid van een groepslid of wanneer iemand niet gedaan heeft wat afgesproken was, ontbeert de groep een stuk informatie en wordt de voortgang geremd.
Het opsplitsen van leerdoelen over individuen heeft dus duidelijke nadelen. Beperk dit daarom zo veel mogelijk.
Toch is het soms nuttig om een zekere taakverdeling toe te passen, bijvoorbeeld als er veel facetten onderkend worden die het bestuderen waard lijken. We noemen nu kort enige mogelijke werkwijzen, waarbij de eerder genoemde risico's enigszins beperkt blijven.

- Iedereen in de groep bestudeert de hoofdaspecten van het probleem, terwijl bijkomende aspecten over alle groepsleden verdeeld worden.
- De onderwijsgroep wordt in twee of meer subgroepen gesplitst, die zich ieder op een ander leerdoel concentreren. Een subgroep bestaat uit minstens drie personen, zodat controle op de juistheid van informatie mogelijk blijft.
- De groep verdeelt geen leerdoelen, maar er wordt afgesproken wie bepaalde informatiebronnen zal raadplegen (als die bij de groep bekend zijn).

Voor het goed functioneren van een onderwijsgroep is het van belang dat leerdoelen die gemeenschappelijk worden vastgesteld, in ieder geval door de groepsleden als uitgangspunt voor zelfstudie genomen worden. Deze gemeenschappelijke afspraak sluit niet uit dat iemand niet vrij is om zelf iets uit te zoeken wat hij belangrijk vindt. Uiteindelijk moet iedere student zelfstandig bewijzen dat hij de leerstof beheerst. Een groepsbesluit om iets niet belangrijk te achten hoeft je er dan ook niet van te weerhouden om zelf dat onderwerp te bestuderen.
Een uniforme werkwijze van de individuele groepsleden is evenmin een voorwaarde om tot zinvolle groepsactiviteiten te komen: niet alle studenten zijn op dezelfde wijze met hun studie bezig. Een voorkeur voor het maken van schema's, het vergelijken van opvattingen van verschillende auteurs, het zich diep ingraven in bepaalde probleemaspecten, het studeren met behulp van audiovisuele middelen, een voorkeur voor praktische aspecten van problemen; al deze voorkeuren kunnen in principe goed worden ingepast in de activiteiten van de groep. Nodig is dan wel dat er binnen de groep enig zicht bestaat op de wensen en mogelijkheden van de afzonderlijke leden.

2.3.6 Stap 6: zoek aanvullende informatie buiten de groep

Als de leerdoelen zijn geformuleerd, ga je aan de slag om informatie te zoeken en te bestuderen. Stap 6 wordt dus uitgevoerd tussen twee opeenvolgende groepsbijeenkomsten. In hoofdstuk 4 gaan we nog uitgebreid in op het selecteren en bestuderen van leerstof. We volstaan daarom hier met het noemen van enkele punten die bij de zelfstudie van belang zijn.

1 *Selecteer leerstof.* Begin niet zomaar een boek te lezen in de hoop wel ergens het gezochte onderwerp tegen te komen. Raadpleeg inhoudsopgaven en registers. Kijk zorgvuldig naar de wijze waarop de auteur de informatie opgebouwd heeft.
2 *Raadpleeg meer dan één bron.* Auteurs verschillen in de wijze waarop ze onderwerpen uitleggen: ze gebruiken andere voorbeelden, accentueren verschillende aspecten op een andere wijze, verschillen van mening over de mogelijke verklaring van verschijnselen. Belangrijker nog is dat sommige auteurs veel completer zijn in hun uitleg dan andere. En het meest belangrijk: lezen van de tweede of derde bron wordt verrijkt met elaboraties gebaseerd op de eerste bron. Hoe belangrijk elaboraties zijn, hebben we je al eerder uitgelegd.
3 *Studeer actief.* Zoek naar hoofd- en bijzaken. Bedenk voorbeelden. Lees kritisch. Ga tijdens het lezen na of je nu betere verklaringen kunt formuleren op de vragen die de onderwijsgroep zich stelde.
4 *Maak duidelijke aantekeningen over de hoofdpunten.* Aantekeningen maken kan op velerlei wijze. Je kunt onderwerpen en concepten in je eigen boeken en artikelen 'highlighten', je kunt samenvattingen schrijven van bestudeerde teksten, je kunt schema's maken van het bestudeerde. Sommige van deze manieren om leerstof te verwerken zijn vruchtbaarder voor het onthouden van de informatie dan andere. Een van de vruchtbaarste manieren is 'concept mapping', het in kaart brengen van de leerstof door begrippen te structureren en door aan te geven wat de relaties zijn tussen deze begrippen.
5 *Probeer de leerstof in eigen woorden te vatten.* Voor een onderwijsgroep is het vrij zinloos wanneer je teksten letterlijk voorleest uit het werk van een auteur als antwoord op een leerdoel. Tijdens de bestudering moet je je dan ook afvragen: hoe leg ik dit aan anderen uit? Uiteraard mag je bij die uitleg vakjargon gebruiken, maar probeer voor jezelf na te gaan hoe je het bestudeerde aan een ander duidelijk kan maken.
6 *Lees om de leerdoelen heen.* Alleen informatie zoeken waarmee je de leerdoelen sec kunt beantwoorden, is onvoldoende. De problemen uit het blokboek (en de leerdoelen die daarop aansluiten) zijn ingangen tot bepaalde onderdelen van een of meer vakgebieden. Probeer de bestudeerde informatie in een bredere context te plaatsen, bijvoorbeeld door na te denken over de samenhang van dit specifieke probleem en het (sub)thema van het blokboek, over de implicaties van dit onderwerp voor de praktijk. Vlug klaar zijn met het werken aan leerdoelen kan betekenen dat je te weinig doet.
7 *Formuleer vragen over een onderwerp dat je niet zo goed begrijpt.* Wanneer je bepaalde informatie niet zo goed begrijpt, denk dan zorgvuldig na over de vragen die je hierover aan je medegroepsleden kunt stellen. Vermijd vragen naar feitjes, die informatie kun je zelf eenvoudig achterhalen.
8 *Schrijf duidelijk op waar je je informatie vandaan gehaald hebt.* Dat is niet alleen van belang bij de nabespreking in de onderwijsgroep, maar ook voor jezelf wanneer je later je aantekeningen nog eens wilt raadplegen.

Een voorbeeld van te raadplegen bronnen om antwoorden te vinden op de eerder geformuleerde leerdoelen voor het probleem 'Een zomerse vakantiedag' is te vinden in box 15.

Box 15 *Voorbeeld van geraadpleegde bronnen voor het probleem 'Een zomerse vakantiedag''*

Delden, van A., Zomeren van J., & Haklander, A. (2004). De zoektocht naar parameters die het optreden van onweer bepalen. *Meteorologica, 2*, 14-16.
Delden, A. van (2000). Onweersbuien in West-Europa: klimaat en de rol van potentiële onstabiliteit. *Meteorologica*, 4, 8-12.
Bökenkamp, R. (2008). Wanneer de bliksem toeslaat. http://www.geocities.com/medische_commissie/webbliksem.html
Krol, E., Floor, K., Geurts, H., Mureau, R., Opsteegh, T., & Siegmund, P. (red.) (1995). *De wereld van het weer. Over weer en klimaatsverandering*. Utrecht: Stichting Educatieve Omroep Teleac.
www.weerenonweer.nl; http://www.knmi.nl/satrep/synmeteo/hoofdstukken
Vereniging voor weerkunde en klimaat: www.vwk.web.nl
www.knmi.nl; www.astro.uu.nl; www.fys.ruu.nl

2.3.7 Stap 7: synthetiseer en test de nieuwe informatie

In de eerstvolgende onderwijsgroepsbijeenkomst wordt nagegaan wat de zelfstudieactiviteiten aan de hand van de leerdoelen hebben opgeleverd. Gewoonlijk zal de helft van de beschikbare tijd in die bijeenkomst hiervoor gebruikt worden. In deze fase van het werken aan een probleem wordt geprobeerd weer een eenheid te ontdekken in de afzonderlijke elementen die bij de analyse naar voren zijn gekomen. *Synthetiseren,* letterlijk het samen-plaatsen, houdt in dat de leden van de onderwijsgroep datgene wat ze gevonden hebben in verschillende informatiebronnen in onderling verband proberen te zien. Het inbrengen van informatie uit diverse bronnen kan voor dit verwerkingsproces bevorderlijk zijn.
Het is natuurlijk onmogelijk om in ongeveer een uur alles te bespreken wat bestudeerd is. De nabespreking moet zich dan ook op de volgende aandachtspunten richten:

- een korte *samenvatting* van de hoofdlijnen uit de bestudeerde literatuur
- *bespreking* van leerstof die niet begrepen is; wat zijn de knelpunten die nog overgebleven zijn na grondige bestudering?
- een *terugblik* op de discussie van de vorige bijeenkomst. Centraal staat daarbij de vraag of de groepsleden nu beter en vollediger in staat zijn om de principes, processen of structuren die in het probleem aan de orde kwamen te herkennen en te begrijpen.

In box 16 zijn fragmenten opgenomen uit de nabespreking van het probleem 'Een zomerse vakantiedag'.

Box 16 *Fragmenten uit de nabespreking van het probleem 'Een zomerse vakantiedag'*

Gespreksleider:	Welkom. We gaan nu eerst nabespreken over het probleem 'Een zomerse vakantiedag'. Ik heb op het bord de verschillende leerdoelen geschreven die we de vorige bijeenkomst opgesteld hebben. Zullen we eerst even nagaan welke bronnen bestudeerd zijn? (Alle groepsleden vertellen welke bronnen ze geraadpleegd hebben.) Zullen we dan nu beginnen met het eerste leerdoel? Wat betekent zwerk?
Els:	De dikke *Van Dale* zegt daarover: uitspansel, hemel of heel chic 'het geheel van aan de hemel drijvende wolken'. Daar zaten we dus goed.
Gespreksleider:	Oké. Het tweede leerdoel ging over de wijze waarop elektriciteit in of tussen de wolken ontstaat en de wijze waarop bliksem ontstaat. Joa, wil jij de spits afbijten?
Joa:	Er is geen verschil in lading tussen de wolken. Dat was dus onjuist. Verschillen in lading zitten in het gehele onweersgebied. Maar hoe dat proces zich afspeelt is mij nog steeds niet helemaal duidelijk.
Bas:	Onweer ontstaat als na een aantal warme dagen veranderingen in de atmosfeer beginnen op te treden, bijvoorbeeld wanneer er een lagedrukgebied in de buurt van een hogedrukgebied begint te komen. In het warme gebied stijgt warme vochtige lucht op. Deze verticale stromen, convectiestromen genoemd, kunnen in de hogere luchtlagen niet weg omdat daar koude, meer instabiele lucht hangt. Die warme convectiestroom...
Har:	(Onderbreekt.) Hoe kan dat nou, koude lucht daalt toch, die zit dan toch onder die warme?
Bas:	Nou nee, ik dacht dat... Je moet dit op een enorme schaalgrootte bekijken. Het gaat hier om enorme luchtmassa's. Die botsen in de hogere luchtlagen. Daardoor ontstaan donderkoppen, cumulonimbuswolken, je weet wel die aambeeldachtige wolken. Die strekken zich wel uit tot op 10 tot 15 kilometer hoogte. Tijdens die stijging koelt de opstijgende warme en vochtige lucht af, het vocht verandert van structuur. Eerst waterdamp, daarna regendruppels, dan ijskristallen. Tijdens dit veranderingsproces verandert er ook iets in de lading van de dragers.
Els:	Ja, precies, eh, afhankelijk van de omvang van die regendruppels en ijskristallen worden ze positief of negatief geladen. De ijskristallen worden door de hevige turbulentie uit elkaar gerukt. De grotere ijskristallen zijn negatief geladen, de ijssplinters positief. Die ijskristallen zakken naar beneden,

de splinters worden omhoog gestuwd. Door die enorme turbulentie in de hogere luchtlagen, zit dus het merendeel van de positieve lading in de bovenste luchtlagen, het merendeel van de negatieve lading zit onder in de wolken. Maar in die gehele enorme wolkenpartijen zijn er ook lokale verschillen. Zo zitten er ook in de onderste luchtlagen gebiedjes met positieve lading, naast gebieden met negatieve lading. Overigens, wat betreft die koude en warme lucht: je hebt twee typen onweer in ons land: warmte-onweders, waarbij de warme lucht hoog opstijgt, afkoelt, ijsvorming en zo ontstaat; en koufront-onweders, waarbij, eh, een lagedrukgebied vanuit de zee naar het land trekt, een weersomslag eigenlijk. Die koude lucht schuift onder de warme, tilt die eigenlijk omhoog. Daardoor ontstaat ook die enorme turbulentie.

Joa: Ja, ja, en die verschillen in lading zorgen voor die flits tussen hemel en aarde?

Tutor: Wacht even, hoe komen die grotere ijskristallen nu aan een positieve lading en die splinters aan een negatieve?

Sven: Dat weet ik niet precies. Ik heb iets gelezen over grote ijskristallen die door die hevige turbulentie versplinteren. De grotere splinters hebben dan een positieve lading, de kleinere een negatieve. Daartussen vindt dan een elektrische stroom plaats. Maar hoe het nou precies werkt, weet ik ook niet. Ik zag in de literatuur dat de geleerden het over het ontstaan van die ladingen en hun exacte werking ook nog niet eens zijn.

Tutor: Dit lijkt mij belangrijk om te begrijpen. Heeft iemand anders hier meer informatie over?

Jan: Er bestaan inderdaad verschillende theorieën. Veel is nog niet duidelijk. De meest gangbare theorie volgens Erwin Krol e.a. is dat de regendruppels tijdens de stijging bevriezen wanneer ze botsen tegen de ijskristallen die al in de hogere luchtlagen zitten. Dat bevriezen begint aan de buitenkant van de druppels. Daarbij komt warmte vrij. Die warmte wordt door het binnenste gedeelte van de druppels opgenomen. De buitenkant van die druppels bevriest dus eerder. Door het temperatuurverschil tussen binnen- en buitenkant komt er een klein elektrisch stroompje op gang, de zogenoemde thermo-elektriciteit. De bevroren buitenkant wordt positief, de vloeibare binnenkant negatief. De bevriezing van die regendruppels zet natuurlijk door. Water zet uit tijdens bevriezing. Uiteindelijk spatten die druppels water uiteen in kleine ijssplinters die positief geladen zijn en zwaardere onderkoelde vloeibare kernen die negatief geladen zijn. De lichtere ijssplinters drijven, zoals Els al zei, met de opwaartse stroming naar boven, de zwaardere onderkoelde druppels zakken naar beneden.

	Daardoor ontstaan die potentiaalverschillen boven en onder in de wolk.
(Discussie gaat door.)	
Gespreksleider:	Goed, begrijpt iedereen nou het ontstaan van elektriciteit. (Kijkt rond.) Dan nu iets over de bliksem. Joa zei net dat door die ladingsverschillen de bliksem van de hemel naar de aarde gaat. Hoe zit dat?
Nina:	Ik heb gelezen dat die ladingen nogal verspreid door de wolk zitten, met bovenin vooral positieve en onderin negatieve ladingen. Maar door heel die enorme wolkenmassa zitten gebiedjes met positieve en negatieve lading. Binnen die gebiedjes zijn de negatieve ladingen, eh, de elektronen, het meest beweeglijk. Die worden in het elektrische veld tussen min en plus versneld. Dat gaat razendsnel, daardoor ontstaan voorontladingen.
Jan:	Precies, binnen die wolken ontstaan elektrische stroompjes, die de weg van de minste weerstand zoeken. Een soort kleine onweersflitsen. Voorontladingen heten die.
Bas:	Nou, door die voorontladingen ontstaan 'geleidende kanalen'. Hierlangs kan dan later de echte bliksemflits naar beneden. Daardoor hebben die vaak ook zo'n grillige vorm. Die lopen langs een bepaald pad.
Tutor:	Het gaat mij iets te snel. Daarnet zei Nina iets over elektronen die bewegen. Hebben die iets te maken met de elektriciteit die ontstaat?
Har:	Ja, eh, hoe zat dat ook al weer. (Kijkt in zijn aantekeningen.) Oh ja, die elektronen bewegen dus heel snel in dat kleine gebiedje van plussen en minnen. Die snelheid wordt zo groot dat bij botsingen de omringende luchtmoleculen ioniseren. Daardoor ontstaan weer nieuwe positieve en negatieve ladingen. Die negatieve ladingen bewegen weer snel, daardoor vinden weer botsingen plaats, waardoor nog meer ionisering ontstaat. De positieve ladingen zijn minder beweeglijk, die blijven wat achter. Hierdoor ontstaan die ladingsverschillen. De grootste verschillen zitten onder in de wolk.
Jan:	Dat gebied waarin die ionisatie optreedt, verschuift door de turbulentie. Daarbinnen ontstaan die voorontladingen. Dat is een proces dat razendsnel verloopt, in microseconden zelfs. En met enorme snelheden. Dat proces gaat richting aarde. Zo ontstaat een pad naar de aarde.
Inge:	Dat vond ik zo gek, ik heb gelezen dat de eerste flits van de aarde naar de onweerswolk gaat. Daar begreep ik niets van.
Els:	Eh, kijk. De aarde is weliswaar als geheel negatief geladen

	ten opzichte van de ionosfeer. Maar de aarde is ook een goede geleider. Juist onder de wolk wordt door de grote hoeveelheid negatieve ladingen in de wolk, de negatieve lading van het aardoppervlak plaatselijk afgestoten, zodat de aarde daar positief wordt. Wanneer de spanningsverschillen tussen aarde en onderzijde wolk zo groot zijn geworden dat een vonk, een bliksemflitsje, kan overslaan van de aarde naar de onderzijde wolk, gebeurt dat ook. In de wolk zijn inmiddels die 'hoofdkanalen van Bas' gevormd waarlangs de lading met geweldige kracht en warmte door kan slaan naar beneden, naar de aarde uiteindelijk. Dus dan is contact met de aarde gemaakt.
Sven:	Ja, en die blikseminslagen zijn nodig. Die bliksem werkt als een ladingspomp. Normaal is er een stroom van de aarde naar de wolken, de ionosfeer. De aarde loopt dus eigenlijk leeg. Blikseminslagen brengen negatieve lading terug naar de aarde. Hier bliksemt het dan wel niet zoveel, maar in de tropen zijn er talrijke onweders met talloze inslagen.
Tutor:	Prima. Zou iemand het proces nu nog even chronologisch kunnen samenvatten?
(...)	
Gespreksleider:	Het derde leerdoel was: ontstaat de donder door implosie of explosie?
Bas:	De hoofdontlading door het hoofdkanaal gaat gepaard met geweldige temperaturen en snelheden. Daardoor zet de omringende lucht uit, explosie dus, en verplaatst zich. Dat noemen wij donder. Licht verplaatst zich veel sneller dan geluid. Daardoor zie je het eerder bliksemen dan dat je het hoort donderen. Wanneer je direct na de bliksemflits begint te tellen kun je uitrekenen hoever het onweer bij je vandaan is. Iedere drie seconden verschil tussen waarneming lichtflits en gedonder is het onweer ongeveer 1 kilometer van je verwijderd. Dat rommelende geluid tijdens onweer ontstaat doordat het bliksemkanaal soms kilometers lang is. Je hoort dan niet een klap, maar een serie klappen achter elkaar.
(...)	
Gespreksleider:	Oké. Het vierde leerdoel was: hoe kun je je beschermen tegen onweer?
Joa:	Door niet onder geïsoleerde bomen te gaan staan. Dan is inslag mogelijk, de stroom loopt via het cambium, het levend weefsel tussen bast en houten kern, naar de aarde. Door de grote warmteontwikkeling ontstaat stoom en wordt de schors van de boom afgeblazen. Elektrocutie of zware brandwonden zijn dan het gevolg, vaak ook een tijdelijke hartstilstand.

Nina:	Er zijn vier manieren om door de bliksem geraakt te worden: directe inslag, side flash, stap- en contactspanning De beste bescherming is buiten in het open veld: zoek een greppel, ga daar gehurkt zitten met voeten dicht bij elkaar.
Inge:	Ik kwam die kooi van Faraday ook nog in de literatuur tegen. Die Faraday heeft ontdekt dat elektronische ladingen zich steeds verzamelen aan de buitenzijde van holle voorwerpen. Dat gebeurt ook bij een auto. De bliksem plant zich dan voort via de oppervlakte van de wagen en de banden naar de grond. Daar zit je dus veilig.
Tutor:	Ho, ho. Nina, noemde vier manieren waarop je door de bliksem geraakt kon worden. Kunnen we die eens verder uitwerken?
(...)	

De nabespreking is een goed middel om *je eigen kennis te controleren en een begripsmatige verwerking van de stof te bevorderen.* Vertel in je eigen woorden wat je bestudeerd hebt en wees er daarbij alert op dat anderen begrijpen wat je vertelt. Gebruik je aantekeningen als geheugensteun, maar lees niet voor. En wanneer anderen aan het woord zijn, ga dan voor jezelf na of het duidelijk is wat er verteld wordt én of het naar jouw idee klopt. *Verwerking* van de leerstof impliceert ook dat de onderwijsgroep zich niet beperkt tot de beantwoording van de leerdoelen zelf, maar bovendien tot een inzicht komt in de onderlinge *samenhang* van de antwoorden en de *context* waarin ze passen: van welk ruimer onderwerp maken de bestudeerde onderwerpen deel uit, wat is de relatie met de voorgaande problemen in het blokboek en met eerder behandelde onderwerpen? Met het oog hierop kan de gespreksleider (of iemand anders) de hoofdlijnen van het gerapporteerde nog eens op een rijtje zetten.

Een diepgaande nabespreking kan aanleiding geven tot het formuleren van aanvullende leerdoelen:

- Soms komen er tijdens de nabespreking nieuwe vragen op.
- Soms blijkt dat de oorspronkelijke probleemstelling niet zo helder was, waardoor men niet gevonden heeft wat men had verwacht te vinden.
- Soms zijn er in de fase van zelfstudie bij sommige studenten vragen gerezen die voor de hele groep van belang zijn.

Aan de hand van de aanvullende leerdoelen wordt er dan opnieuw gestudeerd en zo nodig nabesproken in de volgende bijeenkomst.

Natuurlijk stuit een onderwijsgroep wel eens op vragen waarop ze na uitvoerige bestudering van de literatuur en onderlinge discussie geen antwoord kan vinden. Soms is de tutor in staat om dan een uitweg te bieden. Maar dit hoeft niet altijd zo te zijn. De problemen in het blokboek hebben immers betrekking op allerlei vakgebieden en het kan zijn dat de tutor weinig weet van een bepaald onderwerp. Dan is het nuttig dat de groep een *inhoudsdeskundige* raadpleegt: een docent die

veel afweet van het onderwerp waarover onduidelijkheid bestaat. Als een onderwijsgroep besloten heeft een inhoudsdeskundige te raadplegen, moet zij twee activiteiten ondernemen om maximaal te kunnen profiteren van de bijdragen van deze vakdocent. De groep moet nagaan wie op welke wijze geraadpleegd kan worden en ze moet bespreken welke vragen aan de inhoudsdeskundige worden voorgelegd. Via een lijst met namen van inhoudsdeskundigen in het blokboek, een algemene namenlijst van docenten, de tutor of de blokcoördinator kan de onderwijsgroep achterhalen welke docent het meest geschikt lijkt om de vragen te beantwoorden. Vervolgens moet de groep afspreken op welke wijze ze deze vakdocent wil raadplegen. Zo kan de groep de inhoudsdeskundige uitnodigen voor een volgende onderwijsgroepsbijeenkomst of ze kan afspreken dat enkele groepsleden contact zullen opnemen met de betreffende docent. De keuze hangt samen met de aard van het probleem waarvoor de docent geconsulteerd wordt. Gaat het om een onderwerp waarover de groepsleden nogal verschillen van mening of waarvan ze het gevoel hebben dat het essentieel is voor ieders begrip van het onderwerp, dan kan de inhoudsdeskundige beter in de groep worden uitgenodigd. Betreft het een deelprobleem dat weliswaar opgelost moet worden, maar door zijn aard niet ieders aanwezigheid vergt, dan kan de groep enkele groepsleden afvaardigen om een gesprek met hem te voeren. Het is wenselijk dat meer dan een groepslid dit gesprek voert om verlies van informatie zo veel mogelijk te beperken. Ook moet de groep een afspraak maken over de wijze waarop de uitkomsten van dit gesprek teruggekoppeld worden naar alle leden van de onderwijsgroep.
Uiteraard dient de onderwijsgroep rekening te houden met de beschikbaarheid van de betreffende docent. In sommige opleidingen zijn daarom contacten met inhoudsdeskundigen ingepland in de vorm van vragenuurtjes. Spreek dan duidelijk af wie naar die bijeenkomst toe zullen gaan om de vragen voor te leggen. Zijn er geen vragenuurtjes georganiseerd, neem dan zelf contact op met de inhoudsdeskundige.
Wil het contact met een inhoudsdeskundige vruchtbaar zijn, dan moet de groep zich ook buigen over de formulering van de vragen die zij hem wil voorleggen. De inhoudsdeskundige moet zich een duidelijk beeld kunnen vormen van de achtergrond van waaruit de vragen voortkomen en van de vragen zelf. Vermeld daarom op welk probleem in welk blok je vraag betrekking heeft en vertel beknopt hoever de groep zelf al gekomen is bij het verklaren van het probleem. Soms heeft de vakdocent ook enige tijd nodig om zich voor te kunnen bereiden op zijn bijdrage. Indien de inhoudsdeskundige uitgenodigd wordt in de onderwijsgroep te verschijnen, is het verstandig met hem af te spreken wat je van hem verwacht: bijvoorbeeld een minicollege met een discussie daarna of een onderwijsleergesprek waarbij de vakdocent via voorbeelden, vragen en korte informatieoverdracht de groepsleden helpt zelf hun problemen op te lossen.

Ten slotte willen we nog wijzen op het fenomeen van de 'onderwijsbijeenkomst-verslindende nabespreking', een bespreking die het grootste deel van de bijeenkomst in beslag neemt, waardoor er te weinig tijd overblijft om op een degelijke manier nieuwe problemen uit het blokboek aan te pakken. Het gevaar

dat dit verschijnsel optreedt dreigt vooral wanneer de synthesefase opgevat wordt als 'verslaglegging', waarbij alles wat gevonden is aan de orde gesteld moet worden, ook wanneer dat geen meerwaarde oplevert in vergelijking met de fase van zelfstudie. Soms worden dergelijke ellenlange rapportages veroorzaakt door studenten die proberen 'mee te liften' op de inzet van anderen. Deze studenten hebben zich slecht voorbereid en gebruiken de nabespreking om hun kennisachterstand in te halen. Ze stellen voortdurend vragen, vaak naar feitjes, vragen om informatie te herhalen en er vallen langdurige stiltes waarin aantekeningen worden gemaakt.
Probeer deze tijdverslindende nabesprekingen te vermijden. Naast een gebrekkige meerwaarde voor je studie, belemmeren ze je in de mogelijkheid om een nieuw probleem diepgaand te analyseren. Deze diepgaande analyse van een nieuw probleem is noodzakelijk om, met interessante leerdoelen, nieuwe leerstof te gaan bestuderen. Een oppervlakkige analyse van een probleem betekent vaak een weinig inspirerende nabespreking, die weer uitloopt, etc. Hierdoor komt de onderwijsgroep in een neerwaartse spiraal van leerervaringen waardoor het bijwonen van de bijeenkomsten minder boeiend wordt.

2.4 Het strategieprobleem

In strategieproblemen staat het handelen van beroepsbeoefenaren centraal. In een medische opleiding zal het daarbij vaak gaan om de rol van de arts. In een juridische opleiding meestal om de rol van de advocaat en in een economische opleiding bijvoorbeeld om die van de bedrijfseconoom. Bij een strategieprobleem wordt van je gevraagd om in de schoenen van een arts, jurist of econoom te gaan staan. Doel van dit type probleem is te leren hoe je op basis van achterliggende processen, mechanismen of procedures (die je al via verklaringsproblemen hebt leren kennen) rationele beslissingen op je vakgebied kunt nemen om problemen *op te lossen* of hanteerbaar te houden. De nadruk bij het werken aan een strategieprobleem ligt op het formuleren van stappen die je zou moeten doen om een bepaalde probleemsituatie op te lossen en op het beargumenteren van die stappen. Box 17 en 18 bevatten voorbeelden van strategieproblemen.

Box 17 *Voorbeeld van een strategieprobleem gezondheidswetenschappen*

Hulp
Peters buren brengen nog menig spinnetje naar buiten. Tijdens een koffie-uurtje merkt buurvrouw Anita eens op dat het wellicht nuttig zou zijn als Peter zich laat behandelen voor zijn arachnofobie. Aanvankelijk ziet Peter dat helemaal niet zitten. Maar enkele spinnenconfrontaties verder, besluit hij toch eens te zoeken naar hulp.
Hij is nu op uw kantoor en vertelt zijn verhaal. Welke mogelijkheden zijn er voor Peter om van zijn spinnenvrees af te komen?

Box 18 *Voorbeeld van een strategieprobleem op het terrein van de psychologie*

1 Op een warme zomeravond keren een man en een vrouw terug naar hun auto na een bezoek aan een restaurant. Op het door de maan verlichte parkeerterrein staan zij plots tegenover twee jonge mannen die een mes in hun hand hebben. Ze grijpen de vrouw zonder dat de man iets kan doen. 'Geef je geld of we steken haar kapot', sist een van de mannen. De bedreigde overhandigt zijn portemonnee. Man en vrouw worden vervolgens op de grond gegooid en de jongemannen verdwijnen in de nacht.

2 Een man slaat zijn vrouw en scheldt haar uit. Hij is dronken. Vervolgens rukt hij haar kleren van het lijf en probeert haar te verkrachten. Bij de deur van de slaapkamer staat de vijfjarige Kim toe te zien.

Stel dat jij een psycholoog bent. Je wordt door de politie gevraagd richtlijnen te geven over hoe de ooggetuigen het beste ondervraagd kunnen worden met het doel valide informatie te krijgen. Wat zou je adviseren?

In het voorbeeld in box 17 staat dus de vraag voorop: welke wegen staan je als hulpverlener ter beschikking om Peter van dienst te zijn? Het zal duidelijk zijn dat het ontwikkelen van een of meer strategieën eerst kennis veronderstelt over bijvoorbeeld de oorzaken van fobieën (zie daarvoor het probleem geschetst in box 1). Voor het voorbeeld in box 18 geldt dat je je moet afvragen hoe je complete informatie kunt krijgen van ooggetuigen zonder die getuigen te beïnvloeden. Dit veronderstelt kennis van interviewtechnieken en hun effecten op mensen.

Om een strategieprobleem goed uit te voeren, is het van belang om een duidelijke werkwijze te volgen. Allereerst zal de groep moeten vaststellen welk probleem er opgelost dient te worden. Vervolgens kunnen groepsleden op basis van hun voorkennis formuleren welke stappen zij zouden kunnen ondernemen. Belangrijk daarbij is dat de strategie verantwoord wordt: waarom die stappen en waarom in die volgorde? Wat zijn mogelijke voor- of nadelen? In een dergelijke bespreking blijken onduidelijkheden of geschilpunten te kunnen bestaan over de te nemen stappen. Die kunnen aanleiding vormen tot het formuleren van bepaalde leerdoelen. Aan het einde van de bespreking zal de behoefte bestaan om de uitgestippelde strategie of strategieën te toetsen door in de literatuur op te zoeken of de bedachte strategie(ën) ook tot een juiste professionele aanpak leidt (leiden). In een volgende bijeenkomst kan dan gediscussieerd worden over de voor- en nadelen van deze oplossingen en de strategie(ën) doorgesproken worden. Schematisch staat deze besprekingsmethodiek weergegeven in box 19.

Box 19 *Overzicht stappenplan voor de bespreking van een strategieprobleem*

1. Verhelder onduidelijke termen en begrippen.
2. Definieer het probleem.
3. Produceer ideeën over mogelijke te volgen strategieën.
4. Orden de verschillende ideeën en elaboreer erop.
5. Formuleer conclusies en leerdoelen.
6. Zoek aanvullende informatie buiten de groep.
7. Bespreek oplossingen en strategieën na.

Bij sommige strategieproblemen beschikt de tutor over de noodzakelijke antwoorden. In dat geval kan de groep een geformuleerde strategie direct uitproberen en zo nodig bijstellen. De groep moet dan steeds overeenstemming bereiken over wat de eerstvolgende stap zal zijn en krijgt dan een reactie op die stap. Vuur geen tien vragen achtereen af, maar beslis iedere keer wat de volgende vraag moet zijn en wat het verkregen antwoord heeft opgeleverd. Houd goed bij wat onduidelijk is, zodat je leerdoelen kunt formuleren. Ook hier geldt dat de uiteindelijke bestudering van externe bronnen noodzakelijk is om beter inzicht in een verantwoorde professionele aanpak voor de oplossing van problemen te verkrijgen.

2.5 Het dilemmaprobleem

Dilemmaproblemen worden in het onderwijs opgenomen om meningsvorming onder studenten te bevorderen. De onderwerpen van dilemmaproblemen kunnen sterk variëren. Soms hebben ze betrekking op normatieve of ethische aspecten van het beroep waarvoor de student wordt opgeleid, of op de algemeen maatschappelijke kanten daarvan; zaken dus waarbij persoonlijke waarden en opvattingen een rol spelen. Soms hebben deze problemen tot doel studenten kritisch te laten kijken naar verschillende meningen die over een bepaald onderwerp bestaan. Dan wordt er bijvoorbeeld gevraagd om twee theorieën, die beide bedoeld zijn om een bepaald fenomeen te verklaren, tegen elkaar af te wegen. Dilemmaproblemen bereiden je ook voor op je latere beroepsuitoefening, waarin het kunnen voeren van een vakdebat en het goed kunnen verwoorden van je opvattingen een vereiste zijn. Enkele voorbeelden van dilemmaproblemen staan in de boxen 20 en 21.

Box 20 *Voorbeeld van een dilemmaprobleem in een gezondheidszorgopleiding*

> *Een nieuwe therapie*
> Peters therapieën duren lang en verlopen moeizaam. Als gevolg van zijn arachnofobie en de therapieën krijgt hij sterke concentratieproblemen. Op zijn werk heeft zijn chef hier al meerdere malen negatieve opmerkingen over gemaakt. Wanneer hij hierover eens praat tijdens zijn therapiesessies, suggereert zijn therapeute een nieuwe experimentele weg: geneesmiddelen die herinneringen afzwakken of zelfs uitwissen. Deze geneesmiddelen zouden het Ras-GRF eiwit, geproduceerd door één enkel gen, kunnen afremmen. De therapeute wijst nadrukkelijk op het nog experimentele karakter van deze nieuwe therapie.
> Peter vraagt jou om advies.

Box 21 *Voorbeeld van een dilemmaprobleem in een psychologieopleiding*

> **Meningsverschillen**
>
> *Stelling 1a*
> Kennis over biologische processen is nauwelijks relevant voor het begrijpen van psychologische fenomenen.
> *Stelling 1b*
> Kennis over de hersenen en over biologische processen is essentieel voor het begrijpen van psychologische fenomenen.
>
> *Stelling 2a*
> Gedrag, beleving, emotie en cognitief functioneren van de mens komen dermate overeen met die van de hogere diersoorten, dat bestudering van deze psychologische fenomenen bij dieren zinvol is.
> Stelling 2b
> Gedrag, beleving, emotie en cognitief functioneren van de mens zijn dermate verschillend van die bij de hogere diersoorten, dat bestudering van deze psychologische fenomenen bij dieren niet zinvol is.
>
> Stelling 3a
> De hersenen produceren gedrag zoals de nier urine.
> Stelling 3b
> Gedrag kan nooit teruggevoerd worden tot biologische processen.

Om de kwaliteit van de bespreking van dilemmaproblemen in de onderwijsgroep te verhogen, is een goede aanpak van dit type probleem noodzakelijk. De volgende stapsgewijze aanpak kan hierbij gebruikt worden, zie box 22.

Box 22 *Overzicht stappenplan voor de bespreking van een dilemmaprobleem*

1. Verhelder onduidelijke termen en begrippen.
2. Definieer het probleem.
3. Geef de gespreksdeelnemers de gelegenheid hun mening weer te geven.
4. Orden de verschillende standpunten.
5. Geef de deelnemers de gelegenheid hun standpunten uit te diepen, laat ze argumenten en tegenargumenten bedenken die de verschillende meningen onderbouwen respectievelijk ondergraven.
6. Formuleer conclusies en leerdoelen.
7. Maak een synthese van visies en opvattingen.

Stap 1 en 2 hebben dezelfde bedoeling als in de zevensprong, namelijk te verduidelijken waarover gediscussieerd moet worden. Voor een helder verloop van de discussie is een goed geformuleerde probleemstelling van belang. Het is niet altijd gemakkelijk zo'n goede formulering te vinden. Soms ligt de probleemstelling in het dilemmaprobleem voor het oprapen, vaker echter moet de groep het eens worden over wat ze als het centrale gespreksonderwerp zien in het aangeboden probleem. Behalve om het aspect 'wat zien we als gespreksonderwerp' gaat het hier dus ook om een besluit dat genomen moet worden, en wel over de definiëring van het probleem. Belangrijk is dat ieder lid van de onderwijsgroep bij dat besluit betrokken is. Wanneer meningsvorming en leren discussiëren van belang zijn, dan is het essentieel dat in de bespreking van het probleem zo veel mogelijk groepsleden participeren. Een eerste ronde waarin iedereen formuleert wat hij of zij als het centrale probleem ziet, is een goede methode om ervoor te zorgen dat bijdragen van alle groepsleden aan de orde komen.
Stap 3 vormt het begin van de eigenlijke discussie. Eerst gaat de groep na wat voor mening de leden over het gespreksonderwerp hebben. Ieder groepslid moet daarbij een duit in het zakje kunnen doen. In deze fase moet nog niet al te zeer ieders mening al beargumenteerd worden. Het gaat meer om een eerste verkenning van standpunten. Daarbij is het belangrijk dat meningen niet onder tafel verdwijnen en dat verschillen in opvattingen duidelijk blijken. Bij dit alles speelt de gespreksleider een centrale rol. Het is handig om tijdens de inventarisatie het bord te gebruiken: ieder groepslid heeft dan een duidelijk overzicht. Iemand die zijn opvatting genoteerd ziet staan, heeft niet de behoefte om daar steeds weer op terug te komen.
Nadat een duidelijk beeld is ontstaan van de verschillende standpunten, ideeën en meningen, volgt stap 4: het ordenen. Niet-relevante aspecten kunnen worden uitgezeefd, aanverwante standpunten bij elkaar gezet en uiteenlopende gezichtspunten tegenover elkaar geplaatst. Ordenen is vooral van belang om de discussie niet oeverloos te maken. Het is een voorwaarde om de vijfde stap, meningsvorming op hoofdpunten, tot een goed einde te brengen. Het gaat er in die fase van de discussie om de verschillende standpunten uit te diepen en op hun

houdbaarheid te beproeven. Je kunt dat op verschillende manieren doen. Zo kun je bijvoorbeeld voor- en tegenstanders van een bepaalde opvatting achtereenvolgens hun argumenten laten presenteren; ook kan de groep zich tijdelijk in meer of minder homogene subgroepjes wat betreft hun gezichtspunten verdelen om bepaalde standpunten uit te diepen, om daarna weer plenair verder te gaan. Vaak beschouwen mensen een meningsvormende discussie als een soort wedstrijd die gewonnen moet worden: ieder verkondigt zijn standpunt en probeert de ander daarvan te overtuigen met een stroom van argumenten, spitsvondige redeneringen, valstrikken en andere debatteertrucs. Dilemmaproblemen in het onderwijs beogen echter iets anders. Het is niet de bedoeling dat er één bepaalde oplossing komt (die of die mening is de juiste), maar het gaat erom dat de deelnemers zich bewust worden van hun mening over een bepaald onderwerp en de mening die anderen hierover hebben. 'Ik kijk er nu zo tegenaan, maar je kunt het natuurlijk ook zo of zo bekijken.' Deze vorm van discussie is een creatief proces. Je bent bereid je eigen ideeën ter discussie te stellen en, zo nodig, te herzien. Daartoe moet je luisteren naar anderen, dat wil zeggen proberen de betekenis te begrijpen van de woorden die de ander gebruikt.
De zesde stap is van belang om te voorkomen dat de discussie als een nachtkaars uitgaat. Probeer op een rij te zetten wat de groep van de discussie geleerd heeft. Bij sommige dilemmaproblemen zullen dingen ter sprake gekomen zijn die niet precies duidelijk zijn voor de groep. Op die punten kunnen dan leerdoelen geformuleerd worden, die men in de literatuur, via audiovisuele media of door het raadplegen van deskundigen verder wil uitdiepen. In ons voorbeeld over therapeutische risico's (box 20) zouden groepsleden kunnen nagaan welke beschermende maatregelen er in gezondheidszorginstellingen feitelijk worden genomen en hoe het precies zit met de rechten en plichten van een therapeut en cliënt in de gezondheidszorg. Je zou iemand die regelmatig met dit probleem te maken heeft kunnen uitnodigen om te vertellen hoe hij tegen de risico's van zijn beroep aankijkt.

2.6 Combinaties van problemen

In dit hoofdstuk hebben we een aantal belangrijke typen problemen en de daarbijbehorende werkstrategieën behandeld. Je zult echter merken dat problemen in blokboeken zich niet altijd precies in de door ons beschreven vorm laten indelen. Docenten die problemen construeren voegen soms verschillende probleemtypen samen. Een voorbeeld van een verklaringsprobleem en een strategieprobleem die met elkaar vermengd zijn, vind je in box 23. Van de student die met dit probleem geconfronteerd wordt, wordt enerzijds gevraagd verklaringen te hebben voor het feit dat deze hoger opgeleide man bang is voor spinnen en anderzijds moet hij beschikken over kennis van therapieën die zijn cliënt in staat stellen om zijn arachnofobie te hanteren. Deze mengvorm van het begrijpen van verschijnselen uit de ons omringende werkelijkheid en het kunnen oplossen of hanteren van gebeurtenissen die mensen aan den lijve ervaren, komt natuurlijk in de dagelijkse praktijk van veel beroepen voor. Artsen, juristen, verpleegkundigen, psycholo-

gen, economen, onderwijskundigen en talloze andere beroepen kenmerken zich door het feit dat een beroepsbeoefenaar problemen die in zijn vakgebied optreden moet kunnen begrijpen én oplossen. Natuurlijk komt het ook voor dat je bij het oplossen van problemen voor allerlei ethische dilemma's geplaatst kan worden. Beroeps- of persoonlijke normen en waarden sturen dan de richting waarin je een oplossing zoekt. Het denken over deze oplossingen en daarbij behorende normen en waarden in probleemgestuurd onderwijs wordt gestimuleerd door strategie- en dilemmaproblemen in onderling verband aan te bieden.
Wanneer je meer dan een type probleem aangeboden krijgt, moet je natuurlijk ook meer dan een methode van bespreking bij zo'n probleem hanteren. Je moet wellicht beginnen met de zevensprong om verschijnselen te verklaren, om daarna met een domeinspecifieke oplossingsstrategie te eindigen om het probleem op te lossen of hanteerbaar te maken. Artsen gebruiken bijvoorbeeld veelvuldig als strategie de werkwijze: anamnese, diagnose, therapie.

Box 23 *Voorbeeld van een samenvoeging van een verklaringsprobleem en een strategieprobleem*

> *Getverderrie, monsters!*
> Thuisgekomen van zijn werk, moe en aan een bad toe, ontdekt Peter, een manager op een groot accountancykantoor, twee spinnen in zijn kuip. Hij deinst terug, gilt en rent weg. Zijn hart bonst en het zweet breekt hem uit. Een buurvrouw helpt hem uiteindelijk uit zijn benarde positie door, rustig met haar handen, de diertjes buiten te zetten.
> Peters buurvrouw brengt nog menig spinnetje naar buiten. Tijdens een koffie-uurtje merkt ze eens op dat het wellicht nuttig zou zijn als Peter zich liet behandelen voor zijn arachnofobie.
> Aanvankelijk ziet Peter dat helemaal niet zitten. Maar enkele spinnenconfrontaties verder, besluit hij toch eens te zoeken naar hulp. Hij is nu op uw kantoor en vertelt u over zijn ontzettende angsten voor spinnen.

Problemen waarin verschillende probleemtypen vermengd worden zijn complexer. De complexiteit van problemen kan ook toenemen wanneer van je gevraagd wordt om verschijnselen op verschillende niveaus te verklaren of op te lossen. Een voorbeeld daarvan tref je aan in box 24.

Box 24 *Voorbeeld van een probleem met verschillende verklaringsniveaus*

> *Een Guinea-wormepidemie*
> In de lente van 1979 ontdekt een groep medische studenten die medische bijstand verlenen in Dekal, een geïsoleerd dorp in de Borghu (Nigeria), een epidemie van de Guinea-worm.
> Meer dan 90% van de inwoners vertoont symptomen van de worm onder hun huid, vooral in armen en benen. Velen van hen hebben open wonden op de plekken waar de wormen naar buiten steken. Enkelen zijn er erg slecht aan toe, ze hebben koorts en voelen zich zeer zwak.
> Het dorp krijgt water uit een smerig gat in de grond, de enige bron van drinkwater in het droge seizoen. Andere drinkwaterfaciliteiten zijn er niet. Onder de weinige gevallen die niet besmet zijn met deze ziekte behoren de kinderen jonger dan twee jaar en de leden van de familie Sariki. (Sariki is het opperhoofd van het dorp.) In reactie op een uitzending op zijn transistorradio waarin gewaarschuwd werd voor problemen op het gebied van gezondheid, heeft hij het drinkwater voor hemzelf en zijn familieleden gekookt.
> Verklaar.

Wanneer je dit probleem wilt begrijpen moet je verklaringen vinden op het niveau van de infectie (de levenscyclus van de parasiet, de aard van de infectie, de effecten die de infectie heeft op gezondheid en functioneren), maar ook op het niveau van de interactie tussen dorpsoudste en dorpsgenoten (waarom deelt het stamhoofd zijn kennis niet met zijn medebewoners?). Tevens moet je oplossingen bedenken over de wijze waarop je de dorpsbewoners kunt voorlichten en hoe de relatie tussen stamhoofd en bewoners verbeterd kan worden.

Een andere vorm van meer complexe problemen die docenten je ook kunnen aanbieden zijn 'slecht-gedefinieerde' problemen. Met deze term wordt bedoeld dat de constructeurs van deze problemen informatie in het probleem kunnen stoppen die je op een dwaalspoor brengt, bijvoorbeeld door bepaalde klachten van een patiënt te accentueren die er niet zoveel toe doen of door omstandigheden te beschrijven die minder met de echte oorzaken van het probleem van doen hebben dan je op het eerste gezicht zou denken. Achter deze vorm van probleembeschrijving zit geen kwaadwilligheid. Je moet leren om gegevens uit de omringende werkelijkheid te filteren op relevantie en samenhang. Als professionele beroepsbeoefenaar zul je immers ook essentiële gegevens van hulpvragenden (individuen, groepen of organisaties) moeten kunnen onderscheiden van de ruis die optreedt bij het verwoorden van verzoeken om een probleem op te lossen.
Toename van complexiteit in problemen is belangrijk. Immers, in je latere beroepspraktijk krijg je regelmatig te maken met problemen die niet duidelijk omlijnd en eenduidig zijn. Ze zitten vol ruis: halve waarheden, oneffenheden, gebrekkige informatie of ze zijn voorzien van valse informatie. Als professional moet je hiermee om kunnen gaan.

2.7 Opdrachten die een andere 'output' vereisen

Naast het bespreken van bovengenoemde typen problemen kunnen de leden van een onderwijsgroep ook andere opdrachten aangeboden krijgen. Zo kunnen de makers van een blok bijvoorbeeld vragen om een bepaald product als eindpunt van een probleem, zoals een kort verslag of een organisatieschema. Soms wordt er van de groep verwacht dat deze de producten presenteert voor een panel van deskundigen. Ook kan het voorkomen dat studenten bepaalde praktische activiteiten buiten de onderwijsgroep moeten ondernemen als onderdeel van een probleem, zoals het verzamelen van gegevens en het analyseren daarvan met behulp van een computer of het uitvoeren van een laboratoriumproef. In andere onderwijsprogramma's staat het bedenken van nieuwe, creatieve oplossingen voor de aangeboden problemen centraal. Voorbeelden daarvan zijn bouwkunde en industrieel ontwerpen. Een onderwijsgroep zal dan een werkwijze dienen te kiezen die aansluit bij de doelstelling van het gepresenteerde probleem. In een probleemanalyse van een ontwerpopgave zal de nadruk dan meer liggen op het bespreken van randvoorwaarden waaraan het ontwerp zal moeten voldoen (Wat is de gebruikssituatie? Welke materialen komen in aanmerking? Op welke milieuaspecten moet gelet worden?). Een onderwijsgroep hoeft dan niet meer twee keer per week twee uur bijeen te komen, maar het probleem kan zo omvangrijk zijn dat een onderwijsgroep een keer per week samenkomt om de voortgang te bespreken van subgroepen die aan onderdelen van het probleem werken en om bevindingen te integreren.
Het zou te ver voeren om voor al die afwijkende vormen of mengvormen te gaan beschrijven hoe een onderwijsgroep daarmee om zou kunnen gaan. Met behulp van de procedures zoals we ze in dit hoofdstuk aan de orde gesteld hebben, ben je ongetwijfeld in staat om voor die afwijkende gevallen een eigen creatieve werkwijze te ontwikkelen.

2.8 Leren en probleemgestuurd leren

In dit hoofdstuk is uitvoerig aandacht besteed aan werkwijzen die onderwijsgroepen kunnen volgen bij het bespreken van problemen uit blokboeken. Hoewel deze besprekingsmethodieken van elkaar kunnen afwijken, komen ze op een aantal aspecten sterk met elkaar overeen. In deze paragraaf willen we deze aspecten nog eens kort voor het voetlicht brengen, om je de samenhang tussen de leerpsychologische achtergronden van probleemgestuurd onderwijs en het werken in de onderwijsgroep te verduidelijken. De samenhang wordt schetsmatig weergegeven in figuur 2.1.

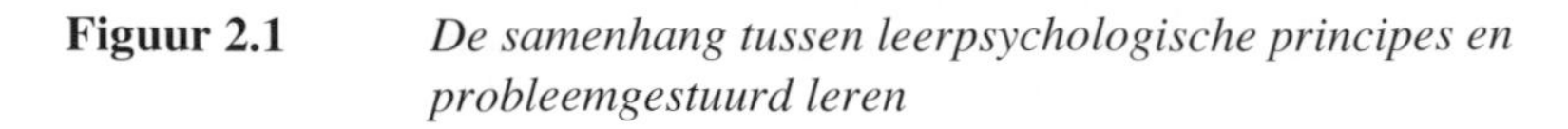

Figuur 2.1 *De samenhang tussen leerpsychologische principes en probleemgestuurd leren*

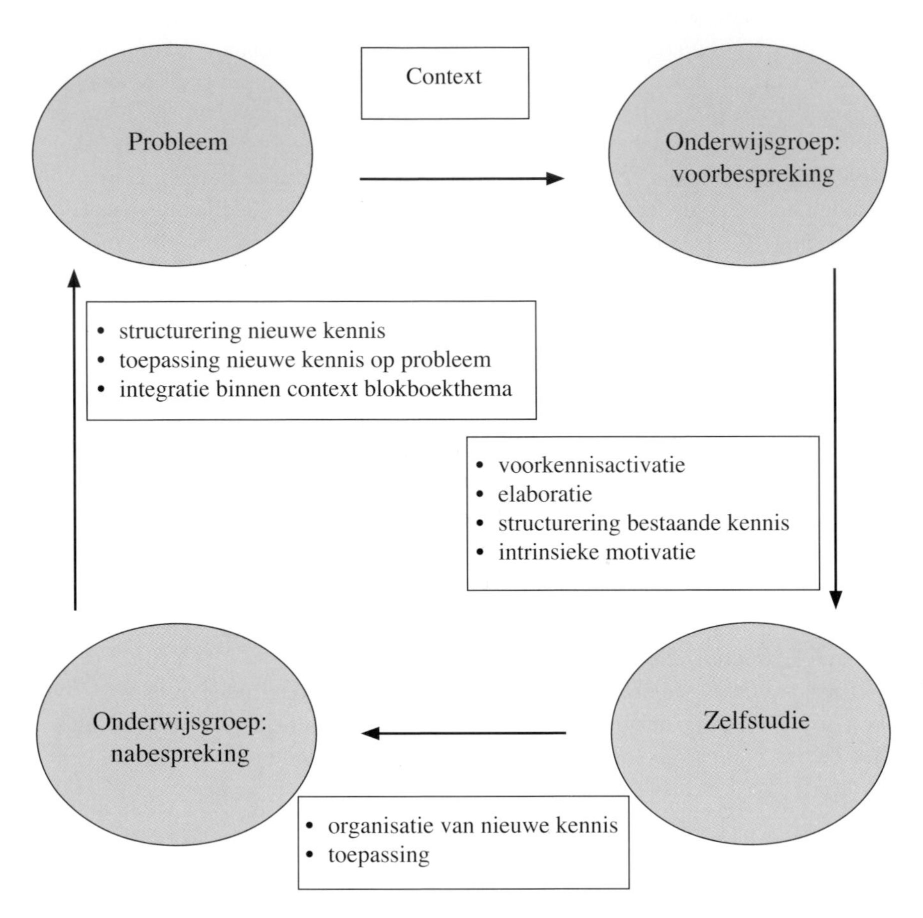

Startpunt van je leren in een probleemgestuurde leeromgeving is een probleem. Dit probleem is nauw verbonden met het thema van het blokboek. Het thema van het blokboek vormt de *context* waarbinnen je kennis en inzicht verwerft over enkele samenhangende vakdomeinen uit de studie waarmee je je voorbereidt op de professie die je later wilt uitoefenen. Een duidelijke context die je informatie geeft waarom je bepaalde kennis moet verwerven voor je latere beroepspraktijk, helpt je om die informatie beter te onthouden. Daarnaast ondersteunt de contextualiteit van informatie je bij het terughalen van die informatie.
In een onderwijsgroep ga je het probleem analyseren. Je probeert na te gaan uit welke elementen het probleem bestaat en wat de onderlinge samenhang tussen die elementen zou kunnen zijn. Bij deze analyse maak je gebruik van de kennis waarover je tot dan toe beschikt, je voorkennis. Deze *voorkennis* probeer je te mobiliseren, te *activeren* om greep te krijgen op de verschijnselen of gebeur-

tenissen beschreven in het probleem. Door begrippen aan elkaar uit te leggen, vragen te stellen, voorbeelden te geven, kritische tegenwerpingen te maken *elaboreer je* op de concepten die van belang zijn om het probleem, en de daarbij behorende vakdomeinen, te begrijpen. Samen met je medegroepsleden probeer je een *voorlopige structuur* te vinden in het rijke arsenaal van individuele kennis en ervaringen waarover je groep beschikt. Tijdens deze analyse zullen enerzijds vragen opkomen die niet door andere groepsleden beantwoord kunnen worden, anderzijds ontstaan er verschillen van inzichten en meningen. Deze discrepanties tussen wat je weet en nog niet weet, is aanleiding om nou eens echt uit te gaan zoeken hoe een-en-ander in elkaar steekt. Je raakt *persoonlijk geïnteresseerd* in de mogelijke antwoorden die een of meer verklaringen kunnen bieden voor de fenomenen of gebeurtenissen die je niet begrijpt of kunt oplossen.
Tijdens een periode van zelfstudie zoek je naar die antwoorden. Je probeert niet alleen de nieuwe feiten te begrijpen, maar vooral *greep* te *krijgen* op de samenhang, *de structuur* in de nieuwe informatie.
Terugkerend na een periode van zelfstudie in de onderwijsgroep probeer je met je medegroepsleden na te gaan of je inderdaad de *samenhang* in de nieuwe informatie op een juiste wijze begrepen hebt. Je test je nieuwe kennis door deze aan anderen uit te leggen, door nauwlettend te luisteren naar andere groepsleden en na te gaan of je alles begrijpt. Je probeert samen met de andere groepsleden de verschillende informatie te integreren en te verbinden met het (sub)thema van het blokboek. Ten slotte probeer je na te gaan of je in staat bent met je nieuwe kennis de beschreven verschijnselen of gebeurtenissen beter te begrijpen of op te lossen. Je *past* je nieuwe kennis toe op het probleem dat ter bespreking voorligt of een analoog probleem.

De wijze van werken in probleemgestuurd onderwijs loopt sterk parallel aan de wijze van werken van wetenschappers en professionele beroepsbeoefenaren. Wanneer wetenschappers geconfronteerd worden met verschijnselen of gebeurtenissen uit de ons omringende werkelijkheid die ze niet begrijpen, zullen ze hypothesen formuleren die een verklaring kunnen bieden om deze verschijnselen te begrijpen. Vervolgens zullen ze via (quasi) experimenteel onderzoek nagaan of hun verklaring correct is. Over de uitkomsten van hun onderzoek zullen ze rapporteren. Acceptatie of verwerping van de verklaring wordt in tijdschriften gepubliceerd. De uitkomsten worden verbonden met of afgezet tegen de bevindingen van andere onderzoekers. Deze kunnen hierop weer met kritische opmerkingen reageren of andere hypothesen formuleren die proberen een nieuw licht te werpen op het begrijpen van de fenomenen. Niet alleen wetenschappers werken veelvuldig volgens dit model. Professionele beroepsbeoefenaars gebruiken ook besluitvormings- en probleemoplossingsmodellen die sterk lijken op de werkwijzen beschreven in dit hoofdstuk.

3 Werken in de onderwijsgroep

3.1 Wat is een onderwijsgroep?

In probleemgestuurd onderwijs neemt het werken in onderwijsgroepen een centrale plaats in. In de sociaalpsychologische literatuur wordt een groep gedefinieerd als een verzameling mensen die aan een gemeenschappelijke doelstelling of taak werken en die daarbij elkaar wederzijds beïnvloeden door in direct contact met elkaar te communiceren. We spreken van een onderwijsgroep wanneer die doelstelling of taak is *iets te leren*, en wanneer dat leren plaatsvindt in het kader van een opleiding. De discussie in een onderwijsgroep heeft tot doel je kennis en inzicht in bepaalde onderling samenhangende vakdomeinen te vergroten en je mening over een of meer wetenschappelijke, professionele of maatschappelijke vraagstukken te verdiepen.
Onderwijsgroepen zijn niet de enige onderwijsvorm die in een probleemgestuurde leeromgeving aangeboden worden. Figuur 3.1 geeft een overzicht van de wijze waarop een week van een student in een probleemgestuurd curriculum kan zijn vormgegeven.

Figuur 3.1 *Overzicht van een onderwijsweek van een student in een probleemgestuurd curriculum*

Dagdeel \ Dag	Maandag	Dinsdag	Woensdag	Donderdag	Vrijdag
Ochtend	Onderwijsgroep	Practicum	College	Onderwijsgroep	Zelfstudie
	Zelfstudie	Zelfstudie	Zelfstudie	Zelfstudie	
Middag	Zelfstudie	Zelfstudie	Zelfstudie	Zelfstudie	Trainingsbijeenkomst
	Practicum				

Uit figuur 3.1 kan je opmaken dat naast de onderwijsgroepen ook nog andere onderwijsactiviteiten plaatsvinden, bijvoorbeeld een hoorcollege, een practicum en een trainingsbijeenkomst. Veelal dienen deze onderwijsactiviteiten als *ondersteuning* van de leerstof die in de onderwijsgroepen en de zelfstudie aan de orde komt of als toepassingsmogelijkheden van onderwerpen die binnen een leerstofdomein bestudeerd worden. In een *hoorcollege* legt een docent bijvoorbeeld nog eens de structuur van de leerstof die in de voorgaande onderwijsgroepsbijeenkomsten besproken werd, uit of laat hij zien hoe de kennis die verworven is toegepast kan worden op analoge probleemsituaties van de problemen die in de onderwijsgroep besproken zijn. Hoorcolleges zijn niet bedoeld om de onderwijsgroepen te vervangen, maar om de organisatie van kennis en het kunnen toepassen van die kennis door de studenten te ondersteunen. Een onderwijsgroep onderscheidt zich van een college doordat in een onderwijsgroep een uitwisseling van kennis en ideeën tussen studenten onderling en met de docent gemakkelijker plaatsvindt. In een college verloopt de communicatie vooral van docent naar student en komt uitwisseling van ideeën tussen studenten onderling amper voor. In de *practica* en *trainingsbijeenkomsten* worden, veelal ook in kleine groepen, vaardigheden geoefend die nauw verwant zijn met de inhoud van het thema dat tijdens de onderwijsperiode wordt aangeboden.

Doordat de onderlinge uitwisseling van kennis en ideeën centraal staat, kan een onderwijsgroep slechts een beperkt aantal deelnemers omvatten. In groepen van meer dan tien personen worden de kansen voor ieder groepslid om actief bij te dragen al snel beperkt. In een probleemgestuurd curriculum wordt per week ongeveer tien tot vijftien uur contactonderwijs geprogrammeerd, de overige tijd wordt gereserveerd voor de zelfstudie van de studenten. In zo'n curriculum ligt de *nadruk* sterk op *zelfstudie*. Uit onderzoek blijkt dat met name de omvang en kwaliteit van de zelfstudieactiviteiten, en niet het aantal colleges, practica en onderwijsgroepen, bepalend is voor het tempo waarin je afstudeert. Om de kwaliteit van de zelfstudie zo optimaal mogelijk te laten zijn moet er in de onderwijsgroep echter wel efficiënt en effectief worden samengewerkt. Daarvoor zijn drie aandachtsgebieden van belang: het verwerven van kennis van en inzicht in de verschillende vakgebieden die aangeboden worden, de wijze waarop de groepsleden met elkaar omgaan en van en met elkaar leren, en de mate waarin de groepsleden er samen in slagen om sturing te geven aan hun leerproces.
In figuur 3.2 zie je deze drie aandachtsgebieden grafisch weergegeven. De verschillende gebieden worden in de volgende paragrafen en hoofdstukken verder uitgediept.

Figuur 3.2 *Aandachtsgebieden van een onderwijsgroep*

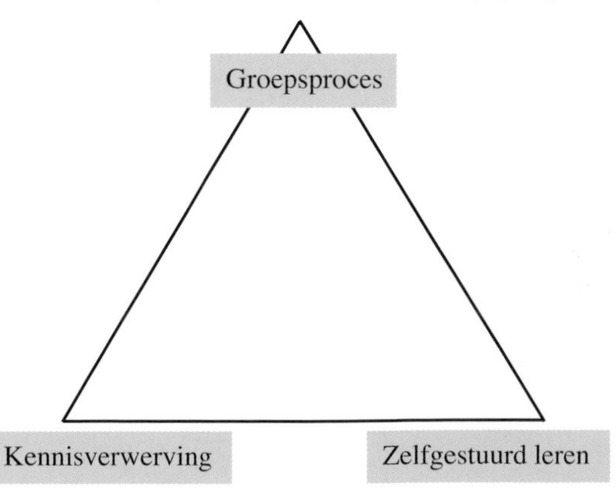

3.2 Waarom onderwijs in kleine groepen?

Er zijn verschillende redenen waarom onderwijs in kleine groepen van belang is. De onderwijsgroep vormt allereerst een goede leeromgeving voor het *leren analyseren van problemen*. Hoewel niet precies bekend is hoe mensen problemen oplossen, weten we dat het oefenen in het analyseren van bepaalde problemen een methode is om andere, vergelijkbare, problemen beter of sneller tot een oplossing te brengen. Belangrijke *deelvaardigheden* die daarbij geleerd worden, zijn:

- het leren opdelen van het probleem in deelproblemen
- het leren formuleren van ideeën die het probleem begrijpelijker maken
- het activeren van kennis die je eerder hebt opgedaan
- het kritisch reflecteren op de gevolgde werkwijze

Het stellen van vragen speelt bij deze vaardigheden steeds een rol. In een onderwijsgroep kun je zelf vragen stellen, maar ook leren van de vragen van anderen. De kleinschaligheid maakt het mogelijk elkaar aan te vullen.
Het werken in de onderwijsgroep kan positieve invloed hebben op je *studiemotivatie*. Dat kan op uiteenlopende wijzen gebeuren. Een op het eerste gezicht saai onderwerp kan plotseling interessante aspecten bevatten als je er anderen over hoort praten, en een ver van je bed staand probleem kan je toch blijken te raken als je er in de onderwijsgroep over discussieert. Te merken dat je bijdragen gewaardeerd worden, kan je aansporen er bij je studiearbeid nog een schepje bovenop te doen. En het idee niet alleen voor je studie te staan, maar je moeilijkheden met anderen te delen, kan je door een periode van twijfel over je studiekeuze helpen.
In een onderwijsgroep ben je ook beter in staat na te gaan of je studie-inspanning vergelijkbaar is met die van je medestudenten. Deze vorm van *informele studiecontrole* werkt in het algemeen positiever dan de controlerende werking van examens en tentamens.
Een belangrijk argument voor het werken in onderwijsgroepen is ook de aandacht voor *communicatieve vaardigheden*. In een onderwijsgroep word je geacht vragen te stellen, iets te vertellen over wat je gelezen hebt of een schema over een ingewikkeld stuk leerstof toe te lichten. Dit zijn belangrijke vaardigheden voor het latere beroepsleven. De onderwijsgroep biedt uitstekende mogelijkheden om deze vaardigheden frequent te oefenen en in praktijk te brengen.
In het verlengde hiervan ligt de mogelijkheid om te *leren samenwerken met andere mensen*. Onderwijs is in het algemeen sterk gericht op het leveren van zelfstandige prestaties. Dat is op zich niet zo vreemd, wanneer we bedenken dat het verwerven van kennis en vaardigheden door individuen moet worden gedaan. In de latere beroepspraktijk echter moet in veel gevallen met anderen worden samengewerkt. Een aantal elementaire vaardigheden, zoals het maken van een taakverdeling, effectief vergaderen en het gezamenlijk uitvoeren van een taak, wordt in onderwijsgroepen voortdurend geoefend en in praktijk gebracht.
Het werken in een onderwijsgroep biedt ten slotte gelegenheid iets te *leren over*

het functioneren van jezelf en van anderen in een groep. Je kunt in een onderwijsgroep ontdekken hoe anderen op jouw inbreng reageren en hoe je zelf op anderen reageert. Door gezamenlijke besprekingen over de voortgang van de groep en de problemen die daarbij optreden, kan meer inzicht worden verworven in dat functioneren.

3.3 Enige elementaire kenmerken van communicatie

In onderwijsgroepen wordt heel wat gediscussieerd: groepsleden komen met voorstellen, ideeën worden geopperd en besluiten genomen. Informatie wordt gegeven in de hoop dat de medegroepsleden erdoor gestimuleerd, geïnformeerd of gecorrigeerd worden. Veel van deze informatie wordt echter gedeeltelijk of slechts vervormd ontvangen. En lang niet alle informatie wordt verbaal verstrekt. In deze paragraaf besteden we aandacht aan enkele elementaire kenmerken van communicatie die in elke onderwijsgroepsbijeenkomst aan de orde komen en die van belang zijn om het functioneren van een onderwijsgroep te observeren en te verbeteren.
Communicatie kan men opvatten als een *uitwisseling van symbolen en betekenissen*. Deze uitwisseling heeft behalve informatieoverdracht vaak ook beïnvloeding van anderen tot doel en is bovendien door gevoelens of emoties gekleurd. Mensen gebruiken voor communicatie allerlei middelen: behalve het spreken zijn dat bijvoorbeeld de lichaamshouding, handgebaren, de intonatie en de gezichtsuitdrukking. Vaak is het je pas duidelijk welke betekenis je moet toekennen aan hetgeen iemand zegt (verbale communicatie), wanneer je let op de andere expressiemiddelen die de spreker gebruikt (non-verbale communicatie).
Hoewel veel studenten het werken in een onderwijsgroep als een strikt zakelijke en taakgerichte bezigheid beschouwen, is dat in de praktijk toch zelden het geval. Samenwerking schept altijd en onvermijdelijk een *sociale* situatie, waarin bepaalde verwachtingen en gevoelens tussen de samenwerkenden onderling een rol spelen. De groepsleden zijn altijd met hun hele persoon bij die situatie betrokken en kunnen daaraan spanning, plezier, ergernis of verveling ervaren.
De communicatie in een onderwijsgroep heeft dan ook betrekking op twee zaken: op de inhoudelijke bespreking van het probleem (taakgerichte communicatie) en op het regelen van de manier waarop de groepsleden met elkaar omgaan (groepsgerichte communicatie). Hieronder worden beide vormen van communicatie kort besproken.

Taakgerichte communicatie
Het inhoudelijk bespreken van de problemen die in het blokboek zijn opgenomen. De bijdragen van de groepsleden op dit gebied noemen we de taakgerichte communicatie. De taakgerichte bijdragen bevorderen of belemmeren een adequate analyse van het voorgelegde probleem en de synthese van de nieuwe informatie na de periode van zelfstudie.
Enkele voorbeelden van bevorderende taakgerichte bijdragen van groepsleden zijn:

- geven van een beschrijving van een mechanisme dat een verklaring kan bieden voor het begrijpen van een verschijnsel
- aanreiken van feitelijke gegevens die bijdragen tot het begrijpen van de omvang van een probleem
- voorstellen om een bepaalde procedure te volgen

Enkele voorbeelden van belemmerende taakgerichte bijdragen van groepsleden zijn:
- hardnekkig doorargumenteren op slechts één punt
- alleen voorstellen inbrengen of ondersteunen die de eigen opvatting onderbouwen
- te pas en te onpas samenvatten

Groepsgerichte communicatie
Het regelen van de manier waarop de groepsleden met elkaar omgaan. De bijdragen van de groepsleden op dit gebied noemen we de groepsgerichte communicatie. Groepsgerichte bijdragen bevorderen of belemmeren de sfeer, de samenhang of het 'sociaal-emotionele klimaat' tussen de leden van de onderwijsgroep.
Enkele voorbeelden van bevorderende groepsgerichte bijdragen zijn:
- groepsleden de mogelijkheid bieden hun bijdrage te leveren
- iemand aanmoedigen zijn visie verder uit te werken
- beschrijven van de reacties van groepsleden op bepaalde voorstellen

Enkele voorbeelden van belemmerende groepsgerichte bijdragen zijn:
- voortdurend verbaal en non-verbaal geintjes maken die het werk van de groep hinderlijk onderbreken
- wedijveren met anderen, 'vliegen afvangen' of 'punten scoren'
- zich demonstratief terugtrekken door ongeïnteresseerd gedrag te vertonen, bijvoorbeeld door te dagdromen of fluisterend gesprekjes te voeren met buurlui

Bovenstaand onderscheid suggereert dat we taak- en groepsgerichte bijdragen altijd duidelijk van elkaar kunnen onderscheiden. Dat is echter lang niet altijd het geval. Een bepaalde opmerking kan tegelijkertijd taak- en groepsgericht zijn. Wanneer bijvoorbeeld een groepslid opmerkt: 'Ik twijfel er geen moment aan dat deze theorie erg belangrijk is om dit probleem beter te begrijpen', dan is zijn bijdrage enerzijds taakgericht – hij geeft immers zijn mening over de keuze die de groep moet maken. Anderzijds kan hij door intonatie en gebarentaal duidelijk proberen te maken dat hij invloed wil hebben op de prioriteiten die de groep moet stellen bij het werken aan een probleem. Vaak hebben groepsleden met hun bijdragen een dubbele bedoeling. Ze willen er zowel de taakgerichte als de groepsgerichte communicatie mee beïnvloeden. De groepsgerichte communicatie komt echter indirecter en meer terloops aan de orde, vooral als er minder plezierige dingen gezegd moeten worden. Een groepslid zal niet zo gauw geneigd zijn te zeggen: 'Ik wil bij de keuze van deze probleemstellingen nu eens mijn zin krijgen' of 'Wat je nu zegt, vat ik op als een aanval op mijn mening en dat zal ik je straks nog wel eens betaald zetten.' Een groepslid zal eerder geneigd zijn om op subtiele, humoristische, ironische of sarcastische wijze zijn eigenlijke opvatting over de gang van zaken proberen duidelijk te maken.

In een onderwijsgroep kunnen talrijke bijdragen van groepsleden onderscheiden worden. Box 25 geeft een overzicht van een aantal belangrijke bevorderende en belemmerende taakgerichte en groepsgerichte bijdragen van groepsleden. Een onderwijsgroep is een werkgroep met als doel kennis en inzicht te krijgen over verschillende vakdomeinen uit de studie van je keuze. In een onderwijsgroep moeten daarom de gedragingen die de inhoudelijke voortgang bevorderen, overheersen. Zie de website voor een observatieformulier.

Box 25 *Een overzicht van bevorderende en belemmerende taakgerichte en groepsgerichte gedragingen in een onderwijsgroep*

Gedragingen die de inhoudelijke voortgang (taakniveau) van een onderwijsgroep bevorderen:

- *Initiatief nemen:* inbrengen nieuwe ideeën, voorstellen van oplossingen, geven van suggesties, opnieuw definiëren van het probleem, voorstellen om te evalueren, verwarring ophelderen, motiveren van groepsleden om door te gaan.
- *Geven van informatie:* het bieden van feiten of verklaringen, het verbinden van eigen ervaringen met de problemen in het blokboek, aangeven van verbanden tussen verschillende ideeën of voorstellen, voorbeelden geven, termen definiëren, overeenkomsten en verschillen aangeven, de informatie in een schematisch verband aanreiken.
- *Vragen om informatie:* vragen om verheldering van verbanden, vragen om verdere informatie of feiten, vragen om voorbeelden, vragen om ideeën of voorstellen samen te brengen, vragen of een bepaalde theorie toegepast kan worden op het probleem.
- *Geven van een mening*: uitspreken van een mening of overtuiging over eerdere voorstellen, kritisch oordeel vellen over de opvattingen van een auteur, conclusies trekken op basis van feiten en argumenten.
- *Vragen om een mening*: proberen van de groepsleden los te krijgen wat ze denken, zoeken naar verheldering van ideeën, vragen of de visies van de groepsleden in overeenstemming zijn met de feiten.
- *Samenvatten*: ordenen van een deel van de discussie, samentrekken van verwante ideeën of voorstellen, het tot slot van een groepsdiscussie opnieuw formuleren van de gedane suggesties, een conclusie of een voorstel tot leerdoel aan de groep aanbieden.

Gedragingen die de samenwerking (sociaal-emotioneel niveau) van een onderwijsgroep bevorderen:

- *Aanmoedigen:* belangstelling tonen voor andermans ideeën, bereid zijn tot antwoord aan anderen, waardering uitspreken voor anderen en hun ideeën, openlijk instemmen en accepteren van bijdragen van anderen.

- *'Deuropener', 'wegbereider' zijn*: stimuleren dat anderen ook hun zegje kunnen doen.
- *Formuleren van de regels en procedures*: formuleren van groepsnormen en -regels die gebruikt kunnen worden voor verbetering en handhaving van de kwaliteit van de inhoudelijke bespreking en samenwerking.
- *Volgen:* meegaan met groepsbesluiten, actief luisteren, bedachtzaam accepteren van andermans ideeën.
- *Onder woorden brengen van het groepsgevoel*: beschrijven van de reacties van groepsleden op ideeën of voorstellen, iemands mening verhelderen.

Gedragingen die zowel de inhoudelijke als relationele voortgang (taak en sociaal-emotioneel niveau) van een onderwijsgroep bevorderen:

- *Evalueren:* vergelijken wat groep bereikt heeft met het groepsdoel, groepsbesluiten toetsen aan procedures en regels, onderzoeken hoe de samenwerking verloopt.
- *Diagnosticeren:* tijdens evaluatie vaststellen van bronnen van moeilijkheden, analyseren wat de groep in zijn voortgang blokkeert.
- *Bemiddelen*: verschillende standpunten met elkaar verzoenen.
- *Spanning verminderen*: kalmeren, tot rust brengen, een grapje op zijn tijd, een gespannen situatie in een bredere context plaatsen.

Gedragingen die belemmerend zijn op taak- en sociaal-emotioneel niveau:

- *Rivaliteit:* met anderen wedijveren om de productiefste of beste ideeën, vliegen afvangen, overtroeven, 'punten scoren', het meest aan het woord willen zijn, in een goed blaadje willen komen bij de tutor.
- *Stokpaardjes berijden:* alleen die voorstellen inbrengen of ondersteunen die te maken hebben met eigen opvattingen of filosofietjes.
- *De clown uithangen:* geintjes blijven maken, na-apen, de groep steeds weer onderbreken met (misplaatste) grapjes.
- *Aandacht trekken:* door luid of buitensporig praten, door extreme ideeën of door ongewoon gedrag.
- *Demonstratief terugtrekken:* ongeïnteresseerd gedrag, met anderen zitten fluisteren over totaal andere onderwerpen, voortdurend afdwalen van het onderwerp, het gedrag beperken tot formaliteiten, dagdromen.
- *Blokkeren:* de voortgang van de groep doorkruisen door uit te wijken naar randproblemen, hardnekkig doorargumenteren op slechts één punt, afwijzen van ideeën zonder er eerst over te willen nadenken.
- *Overdrijven:* groepsleden die te pas en te onpas bepaalde bevorderende gedragingen uitoefenen, zoals te vaak samenvatten, doorvragen, verhelderen, coördineren, aanmoedigen of het groepsgevoel onder woorden brengen.

We geven aan deze gedragingen in de volgende hoofdstukken nog extra aandacht.

Naast verbale kan non-verbale communicatie het gedrag van anderen sterk beïnvloeden. Wanneer iemand bijvoorbeeld naar het plafond gaat zitten staren, terwijl een ander verslag doet over wat hij bestudeerd heeft; dan heeft dat gedrag vaak invloed op degene die aan het woord is. Dat groepslid zal het staargedrag wellicht interpreteren als ongeïnteresseerdheid, daardoor onzeker worden en zijn verhaal minder overtuigend vertellen. Die interpretatie kan overigens geheel onjuist zijn; wellicht kan de luisteraar zich juist beter concentreren door naar een bepaald punt te staren. In box 26 is een lijstje met voornamelijk non-verbale gedragingen weergegeven. Het is een aardige oefening om na te gaan uit welke motieven die gedragingen voortkomen en welke invloed deze gedragingen vermoedelijk op andere groepsleden zouden hebben.

Box 26 *Gedragingen in een groep die het gedrag van anderen beïnvloeden*

- achterover leunen en het plafond bestuderen
- langdurig gapen
- glimlachen
- met een potlood op tafel tikken
- je aantekeningen gaan lezen
- langzaam nee schudden
- naar buiten staren
- je schouders ophalen
- ja knikken, 'hm hm' zeggen
- diep zuchten
- met stemverheffing spreken

Als je deze oefening doet, dan zal je merken dat het vaak lastiger is om met enige zekerheid motieven voor een bepaald gedrag vast te stellen dan om aan te geven wat het effect is van dat gedrag op anderen of jezelf. Enige voorzichtigheid bij het interpreteren van non-verbale signalen is daarom geboden. Mensen kunnen immers op zeer verschillende en soms tegenstrijdige manieren uitdrukking geven aan hun gevoelens en wensen. We kunnen zeggen dat gedrag vaak dubbelzinnig is naar de motieven die eraan voorafgaan, maar meestal duidelijk in de effecten die het bij anderen oproept.

3.4 Samenwerkend leren in een onderwijsgroep

Zoals eerder opgemerkt is het primaire doel van een onderwijsgroep het begrijpen van de onderwerpen die aangereikt worden door problemen te verklaren of op te lossen. De groepsleden moeten daarvoor zowel onafhankelijk van elkaar als in groepsverband een aantal leeractiviteiten uitvoeren. Een overzicht van de verschillende activiteiten die bijdragen aan het beter verwerven en verwerken van informatie wordt in box 27 gegeven. Een observatieformulier van leeractiviteiten van de onderwijsgroep staat op de website.

Box 27 *Categorieën van leeractiviteiten die belangrijk zijn voor een onderwijsgroep*

- *Structureren:* samenbrengen van afzonderlijke stukken informatie in een georganiseerd geheel, proberen structuur aan te brengen in de leerstof en de nieuw verworven kennis te integreren in de kennis waarover men reeds beschikt. Voorbeelden van deze leeractiviteit zijn: samenvattingen van delen van de discussie; de kernbegrippen uit een artikel en de relaties ertussen weer geven in een overzichtelijk schema (concept map); de 'rode draad' in een of tussen verschillende theorieën proberen te ontdekken.
- *Relateren*: zoeken naar verbanden tussen verschillende onderdelen van de leerinhoud, tussen de onderdelen en het geheel, de grote lijn van de studiestof en tussen nieuwe informatie en de eigen voorkennis. Voorbeelden van deze leeractiviteit zijn: weergeven van overeenkomsten en verschillen tussen theorieën; de samenhang proberen te ontdekken tussen het ene probleem uit het blokboek en een ander probleem of tussen de verschillende subthema's binnen een blokboek.
- *Concretiseren:* zich concrete voorstellingen proberen te vormen bij abstracte informatie ontleend aan verschijnselen die al bekend zijn. Voorbeelden van deze leeractiviteit zijn: voorbeelden en metaforen bedenken; informatie in de studiestof proberen toe te passen op persoonlijke ervaringen; onderwerpen in verband brengen met gebeurtenissen uit de dagelijkse werkelijkheid.
- *Selecteren*: onderscheiden van hoofd- en bijzaken, reduceren van grote hoeveelheden informatie tot de belangrijkste onderdelen. Voorbeelden van deze leeractiviteit zijn: kernbegrippen markeren; sommige onderwerpen grondig behandelen, andere onderwerpen vluchtiger; aandacht vooral richten op bepaalde typen informatie: definities of grote lijnen of praktische toepassingen.
- *Toepassen:* zich oefenen in het gebruiken van leerinhouden. Voorbeelden van deze leeractiviteit zijn: toepassen nieuwe kennis op het voorliggende of een analoog probleem; leerinhouden gebruiken om ervaringen en gebeurtenissen in de actualiteit op het vakgebied te interpreteren; nieuwe problemen uit het blokboek proberen te verklaren of op te lossen met gebruikmaking van het geleerde; nieuwe informatie koppelen aan actuele professionele ontwikkelingen en gebeurtenissen.
- *Kritisch verwerken:* niet zomaar alles accepteren wat geschreven of gezegd wordt. Voorbeelden van deze leeractiviteit zijn: eigen conclusies trekken op basis van feiten en argumenten; conclusies en visies van anderen tegen het licht houden van objectieve gegevens; toetsen van de logica van redeneringen; relativeren van uitspraken van deskundigen en zich een persoonlijk oordeel vormen over de juistheid van de gepresenteerde informatie.
- *Diagnosticeren:* vaststellen van hiaten in eigen kennis en vaardigheden en in de beheersing van studiestof, onderzoeken van mogelijke oorzaken van moeilijkheden of successen en van het niet (snel genoeg) bespreken van de studiestof. Voorbeelden van deze leeractiviteit zijn: nagaan hoe het komt dat een probleem niet opgelost kan worden; onderzoeken welke informatie speci-

fiek ontbreekt en hoe deze aangevuld kan worden; evalueren wat de inhoudelijke en procesmatige bijdragen van de groepsleden zijn.

- *Reflecteren:* overdenken van wat er tijdens de discussies in de onderwijsgroep allemaal heeft plaatsgevonden en nadenken over het leren, de instructie (kwaliteit problemen, inbreng en werkwijze tutor), de samenwerking met de medestudenten. Voorbeelden van deze leeractiviteit zijn: nadenken over de gevolgde werkwijze; bedenken welke leeractiviteiten ontbreken en de volgende keer uitgeprobeerd moeten worden, bekijken hoe de samenwerking tussen de groepsleden geoptimaliseerd kan worden.

Een groot deel van deze activiteiten zal plaatsvinden tijdens de perioden waarop je zelfstandig studeert en tijdens de nabespreking in je onderwijsgroep. Uiteraard moeten de bovengenoemde leeractiviteiten op de eerste plaats tijdens de fase van zelfstudie uitgevoerd worden. Een student die dan niet actief bezig is met de leeractiviteiten genoemd in box 27, zal waarschijnlijk niet diepgaand leren. Hij zal niet in staat zijn de onderliggende betekenis van de teksten te begrijpen, kritisch te waarderen of deze kunnen toepassen. Zo'n student zal waarschijnlijk oppervlakkig leren. Tijdens de discussie in de onderwijsgroep is het essentieel dat de groepsleden elkaar stimuleren tot een diepgaande discussie over de leerstof. Het bespreken van feitenkennis is onvoldoende. Dat kan een eerste verkennende stap zijn, die echter snel gevolgd moet worden door de leeractiviteiten genoemd in box 27. De groepsleden kunnen elkaar hierbij helpen door voortdurend te vragen naar voorbeelden, het onderscheiden van hoofd- en bijzaken centraal te stellen, kritisch de bestudeerde literatuur op waarde te schatten of door actief op zoek te gaan naar voorbeelden en toepassingsmogelijkheden van de leerstof. Het is bovendien belangrijk dat je regelmatig nadenkt of en op welke wijze deze leeractiviteiten plaatsvinden. Wanneer bepaalde leeractiviteiten ontbreken, heeft dit invloed op de kwaliteit van je leren. Bijstelling tijdens je zelfstudie en in de onderwijsgroep is dan noodzakelijk.

3.5 Omgaan met cultuurverschillen in een onderwijsgroep

In het voorafgaande hebben we beschreven wat er allemaal in een onderwijsgroep moet gebeuren. Als je samen met anderen aan de slag gaat, merk je al snel dat niet iedereen op dezelfde manier tegen het werken in de onderwijsgroep aankijkt. Kennelijk hebben we eigen verwachtingen en opvattingen die gebaseerd zijn op eerdere ervaringen, zoals de manier waarop je bent opgevoed en op de waarden en normen van mensen waar je veel mee omgaat. Wanneer je allemaal een ongeveer vergelijkbare achtergrond en ervaring hebt, zal het niet veel moeite kosten om samen in een onderwijsgroep te werken. De realiteit is echter dat we vaak zullen samenwerken met mensen die een verschillende achtergrond hebben. In het Nederlandse hoger onderwijs studeren steeds meer studenten die uit het buitenland afkomstig zijn of een niet-Nederlandse achtergrond hebben. Hun opvattingen over samenwerken, leren en hoe je omgaat met docenten kunnen duidelijk anders zijn dan de ideeën van Nederlandse studenten. In de jaren zeventig van de vorige eeuw onderzocht de bekende socioloog Hofstede de opvattingen van medewerkers van IBM in meer dan zeventig landen. Dit bedrijf zag dat ondanks haar inspanningen om een wereldwijd uitgedragen (Amerikaanse) managementfilosofie te hanteren, er grote verschillen bleken te bestaan in de wijze waarop managers uit verschillende landen feitelijk reageerden. Kennelijk bestaat er zoiets als een collectieve opvatting over hoe je met elkaar omgaat, die van land tot land verschilt. Hofstede vond vier dimensies waarop culturen in de wereld van elkaar verschillen en die bepalen hoe we reageren in bepaalde situaties:

1 *Machtsafstand*. Culturen verschillen van elkaar in de mate waarin ze het gebruik van macht in relaties accepteren. In een cultuur met een hoge machtsafstand zal de docent een duidelijke autoriteit zijn. Het stellen van kritische vragen over de opvattingen van een docent door studenten wordt niet of minder op prijs gesteld.
2 *Onzekerheidsvermijding*. Landen waarin onzekerheidsvermijding sterk is, zullen sterker hechten aan heldere regels en afspraken. Afwijkend gedrag wordt niet getolereerd. Zelf je weg zoeken als student is niet gebruikelijk: je wacht op duidelijke instructies door de docent of je houdt je strikt aan de afspraken die in de onderwijsgroep gemaakt zijn.
3 *Individualisme*. In sterk geïndividualiseerde culturen ligt de nadruk op de eigen prestatie en op persoonlijke ontplooiing. In meer collectivistische culturen wordt de groep of familie meer centraal geplaatst. Samenwerken aan een gemeenschappelijke taak kan lastig zijn, wanneer de eigen prestatie centraal wordt gesteld.
4 *Mannelijkheid*. In 'macho'culturen gaat het om succes, materiële prestatie en ambitie. In meer vrouwelijke culturen staan waarden als kwaliteit van leven, menselijke betrekkingen en een gelijke behandeling van mannen en vrouwen centraal. Dit verschil kan gevolgen hebben bij het kiezen van een bepaalde probleemaanpak en voor het uitzoeken van bepaalde aspecten van een probleem.

Op basis van deze dimensies komt Hofstede (1980) tot een typering van de cultuur in diverse landen, zie figuur 3.3.

Figuur 3.3 *Landen en hun karakteristieken*

• Hoge machtsafstand • Hoge onzekerheidsvermijding • Hoog tot matig niveau van individualisme • Matige mannelijkheid België Frankrijk Spanje Italië Argentinië Brazilië	• Hoge machtsafstand • Hoge onzekerheidsvermijding • Laag niveau van individualisme • Breed scala van mannelijkheid Portugal Colombia Mexico Venezuela Chili Peru	
• Matige machtsafstand • Hoge onzekerheidsvermijding • Matig niveau van individualisme • Hoge mannelijkheid Japan	• Hoge machtsafstand • Lage tot matige onzekerheidsvermijding • Laag niveau van individualisme • Matige mannelijkheid Pakistan Taiwan Thailand India Singapore	• Hoge machtsafstand • Hoge onzekerheidsvermijding • Laag niveau van individualisme • Matige mannelijkheid Griekenland Turkije Marokko Iran
• Lage machtsafstand • Hoge tot matige onzekerheidsvermijding • Matig niveau van individualisme • Hoge tot matige mannelijkheid Oostenrijk Duitsland Zwitserland Israël	• Lage tot matige machtsafstand • Lage tot matige onzekerheidsvermijding • Hoog niveau van individualisme • Hoge mannelijkheid Groot-Brittannië Ierland USA Canada Australië Nieuw Zeeland Zuid-Afrika	• Lage machtsafstand • Lage tot matige onzekerheidsvermijding • Hoog tot matig niveau van individualisme • Lage mannelijkheid Nederland Denemarken Noorwegen Zweden Finland

Als je even naar deze figuur kijkt, zie je al snel de verschillen in dimensies tussen landen als Nederland, België en Duitsland. Hoewel deze landen dicht bij elkaar liggen, zijn de cultuurverschillen tamelijk groot. In het onderzoek van Hofstede gaat het uiteraard om gemiddelde uitkomsten. Dat betekent dat je niet kunt voorspellen hoe een bepaald individu uit een andere cultuur zich zal gedragen. Een Duitse of Belgische student kan zich dus heel anders gedragen dan de schaal voor hun land aangeeft. Bekend is ook dat binnen landen verschillen kunnen optreden, de subcultuur van een regio heeft dan een relatief grote invloed. Limburgers kunnen bijvoorbeeld op bepaalde schalen 'dichter' bij studenten uit België staan dan bij mensen uit de Randstad.

Als je wat langer figuur 3.3 bekijkt, valt je wellicht een aantal zaken op die van belang kunnen zijn voor het functioneren van studenten in onderwijsgroepen. Nemen we als voorbeeld eens een onderwijsgroep waarin ook enkele Belgische en Deense studenten deel van uitmaken. Belgen en Denen verschillen sterk van elkaar in onzekerheidsvermijding en machtsafstand. Als een onderwijsgroep nu geconfronteerd wordt met onzekerheden ('Zitten we wel op het juiste spoor?', 'Is onze oplossing van dit probleem correct?'), dan zullen de Belgen en Denen in deze groep anders reageren. De Deense studenten zullen anders met de onzekerheden omgaan en opmerken dat ze eerst zelf nog eens naar de bevindingen willen kijken. De Belgische studenten zullen de onzekerheid onaangenaam vinden en zich tot de tutor richten, de autoriteit, met de vraag: 'Kunt u ons misschien vertellen…?' Ook zullen de studenten uit België sneller de inhoudelijke of procesmatige beweringen van de tutor accepteren. Hij is immers de autoriteit. Deense studenten zullen meer op basis van gelijkheid met de tutor omgaan. Wanneer botsingen gebaseerd op cultuurverschillen vaak in een onderwijsgroep voorkomen, moeten de groepsleden zoeken naar een modus waardoor de werkzaamheden niet vertraagd worden. (Nogmaals, realiseer je wel dat individuele studenten uit beide landen anders kunnen reageren dan de dimensies voor hun landen aangeven.)

Een ander voorbeeld: stel dat in een onderwijsgroep studenten uit Azië, Europa en de Verenigde Staten zitten. De dimensies waarop de groepsleden met elkaar in interactie treden, lopen dan ver uit elkaar. Wellicht kan je zelf een paar knelpunten bedenken! Naast deze cultuurverschillen is er nu nog een andere moeilijkheid. Westerse communicatie heeft een 'zender-oriëntatie', dat wil zeggen dat het de verantwoordelijkheid van de spreker is om zijn of haar ideeën duidelijk en ondubbelzinnig over te brengen. Veel Aziatische landen zijn 'ontvanger-georiënteerd'. Daar is het aan de luisteraar om te begrijpen wat er wordt gezegd. Wanneer nu in een onderwijsgroep de Westerlingen steeds aan het woord zijn en de groepsleden uit het Verre Oosten steeds luisteren, dan is er weinig aan de hand. Wanneer groepsleden echter afwisselend spreken of luisteren, en dat wordt in een onderwijsgroep beoogd, kan de communicatie gemakkelijk moeizamer verlopen.

Een laatste voorbeeld. Stel je een onderwijsgroep voor waarin studenten zitten met een Marokkaanse en Turkse achtergrond en studenten met een Nederlandse en Amerikaanse achtergrond. Figuur 3.3 laat zien dat er nogal wat verschillen zijn in machtsafstand, onzekerheidsvermijding, individualisme en mannelijkheid. Het werken in een dergelijke onderwijsgroep is natuurlijk niet onmogelijk. De intenties van de studenten tot samenwerking kunnen sterk zijn. Wanneer het echter tot botsingen komt, is het belangrijk dat deze studenten niet met stereotiepe opmerkingen komen over andere groepsleden, maar dat ze nauwgezet evalueren waardoor hun opvattingen botsen en op welke basis ze met elkaar verder kunnen samenwerken. Ruimte aan elkaar geven en open staan voor ieders eigenheid is essentieel voor elke onderwijsgroep, maar zeker als de heterogeniteit hoog is.

Wat betekenen deze cultuurverschillen nu voor het werken in een onderwijsgroep?
Allereerst is het van belang dat je rekening houdt met verschillen in achtergronden en verwachtingen in een onderwijsgroep. Wereldwijd erkennen we dat het van belang is om op basis van verschillen te komen tot een werkbare samenwerking tussen mensen. De onderwijsgroep is een microkosmos, waarin we kunnen leren hoe je cultuurverschillen in acht kunt nemen om tot een vruchtbare samenwerking te komen. Dat lukt op heel veel plaatsen, want probleemgestuurd onderwijs wordt in zeer uiteenlopende culturen met succes toegepast. Denk dus niet te snel dat iemand met een andere culturele achtergrond het helemaal verkeerd doet. Neem je groepsgenoten uit andere culturen serieus en beschouw andere opvattingen niet meteen als ‘afwijkend’; je eigen normen en waarden zijn immers ook niet altijd duidelijk voor iemand met een andere culturele achtergrond. En de uitdaging is natuurlijk om samen een werksfeer te scheppen waarin iedereen zich kan herkennen en goede prestaties kan leveren.

3.6 Formele rollen in een onderwijsgroep

Om een onderwijsgroep goed te laten functioneren is het verstandig bepaalde taken tijdelijk of langdurig aan bepaalde personen toe te kennen. Deze personen nemen dan een bepaalde positie in de onderwijsgroep in. In een onderwijsgroep zijn dat de personen die de rol van groepslid, gespreksleider, notulist en tutor uitoefenen. Aan deze posities worden bepaalde verwachtingen gekoppeld met betrekking tot de wijze waarop deze personen functioneren. We noemen deze extern toegekende posities de formele rollen.
Daarnaast kunnen personen in een onderwijsgroep zelfstandig bepaalde posities innemen, veelal omdat ze, al dan niet terecht, vinden dat bepaalde activiteiten onvoldoende uitgevoerd worden of omdat groepsleden zich tot deze gedragingen aangetrokken voelen. Deze laatste niet formeel toegekende posities noemen we informele rollen. In deze paragraaf zullen we aandacht besteden aan de verschillende formele rollen in een onderwijsgroep, vervolgens zullen we in de volgende paragraaf iets zeggen over informele gedragingen van individuele groepsleden.

De onderwijsgroep kent vier formele rollen, te weten: het groepslid, de notulist, de gespreksleider en de tutor.

Het groepslid
Iedere student die deelneemt aan een onderwijsgroep vervult de rol van groepslid. Ieder groepslid heeft bepaalde verantwoordelijkheden voor het behalen van de doelstellingen van de onderwijsgroep. Als groepslid ben je ook medeverantwoordelijk voor een zo optimaal mogelijk functioneren van de onderwijsgroep. De verschillende verantwoordelijkheden worden veelal tijdens de eerste bijeenkomst in onderling overleg afgesproken. Het betreft dan verantwoordelijkheden op het gebied van de voorbereiding van de bijeenkomsten, aanwezigheid en een actieve deelname tijdens de bijeenkomsten; maar ook bepaalde gedragcodes tijdens de discussies, bijvoorbeeld elkaar laten uitpraten, niet scoren ten koste van een ander, een kritische houding ten aanzien van ingebrachte argumenten, elkaar stimuleren bij de verwerking van leerstof en feedback geven op het product dat de groep levert en de wijze van samenwerking. In hoofdstuk 5 komen we nog uitvoerig terug op de activiteiten die een groepslid moet vervullen. Bij toerbeurt vervullen de groepsleden specifieke rollen: de rol van notulist en gespreksleider.

De notulist
Tijdens een groepsbijeenkomst maakt ieder groepslid zelf aantekeningen over wat er inhoudelijk besproken en besloten wordt, bijvoorbeeld welke leerdoelen er bestudeerd gaan worden. Zonder die aantekeningen is het immers lastig om te weten wat je tussen de onderwijsgroepsbijeenkomsten in aan zelfstudieactiviteiten moet ondernemen. Toch wordt er in de onderwijsgroep ook gebruikgemaakt van een notulist. Tijdens het werken aan een probleem is het namelijk nuttig om informatie vast te leggen en deze toegankelijk te maken voor de gehele groep.
De notulist doet dit door belangrijke zaken te noteren op een bord. Het gaat dan bijvoorbeeld om de opsomming van verklaringen voor een probleem, een schema van een procesverloop, een organisatieschema en de geformuleerde leerdoelen. De activiteiten van de notulist zorgen er op die manier voor dat gemaakte opmerkingen niet onder tafel verdwijnen en dat een kader wordt vastgelegd waarin de groep effectief verder kan werken aan een probleem. In sommige onderwijsprogramma's wordt van studenten een kort verslag verwacht van hetgeen in de groep besproken is; de notulist zorgt dan ook voor een dergelijke rapportage. In hoofdstuk 5 gaan we meer gedetailleerd in op de werkzaamheden van een notulist.

De gespreksleider
Tijdens onderwijsgroepsbijeenkomsten heeft één student als specifieke taak om het gesprek in goede banen te leiden. Hij is de gespreksleider. In een onderwijsblok vervult iedere student één of twee keer bij toerbeurt deze rol.
De gespreksleider heeft tot belangrijkste taak de voortgang van de groep bij het bespreken van de problemen uit het blokboek te bevorderen. Hij draagt zorg voor de agenda, gaat na of afspraken zijn nagekomen, leidt de te bespreken onderwerpen kort in en bewaakt de tijd. De gespreksleider geeft ieder groepslid de gelegenheid om een bijdrage te leveren aan de discussie door hem het woord te verlenen. Hij structureert het gesprek door regelmatig te bewaken dat er samenvattingen worden gegeven. Hij zorgt ervoor dat te behandelen onderwerpen ook werkelijk aan de orde

komen en kapt de discussie af als de groepsleden van het onderwerp afdwalen.
De gespreksleider vervult in de onderwijsgroep twee soorten functies:

1 *Taakgerichte* functies. Dat zijn activiteiten van de gespreksleider die gericht zijn op de inhoud en op de aanpak (werkstrategie) van de problemen beschreven in het blokboek.
2 *Groepsgerichte* functies. Dat zijn gedragingen die het werkklimaat en de onderlinge samenhang in de onderwijsgroep bevorderen.

Een goede gespreksleider is vooral geïnteresseerd in de wijze waarop de groep aan een probleem werkt. Een gespreksleider zal zich dan ook bij voorkeur niet met inhoudelijke bijdragen in een discussie mengen. Doet hij dat wel, zo leert de droeve ervaring, dan komt er weinig of niets terecht van zijn eigenlijke verantwoordelijkheid. In hoofdstuk 6 komen we uitgebreid terug op de bijdragen die de gespreksleider kan leveren om onderwijsgroepen goed te laten functioneren.

De tutor
De onderwijsgroep bevat behalve studenten ook een docent. Deze docent heeft een specifieke onderwijsrol, namelijk die van tutor. Het is de taak van de tutor het proces van inhoudelijke kennisverwerving door de studenten te stimuleren, de samenwerking tussen de studenten te bevorderen en het proces van zelfstandig leren te ondersteunen. Figuur 3.4 geeft een schematisch overzicht van de relatie tussen de kernactiviteiten van de studenten in een onderwijsgroep en de hoofdactiviteiten van de tutor. Al deze activiteiten doet de tutor niet door van A tot Z te vertellen wat en hoe de studenten iets moeten doen, maar door hun activiteiten te observeren, zijn observaties te vertellen, vragen te stellen, voorbeelden aan te dragen en adviezen te verstrekken over de wijze waarop de groepsleden de zaken in een onderwijsgroep beter kunnen aanpakken.

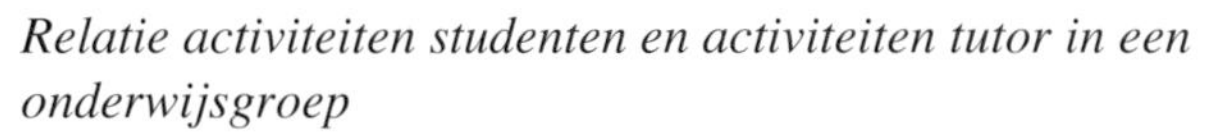

Figuur 3.4 *Relatie activiteiten studenten en activiteiten tutor in een onderwijsgroep*

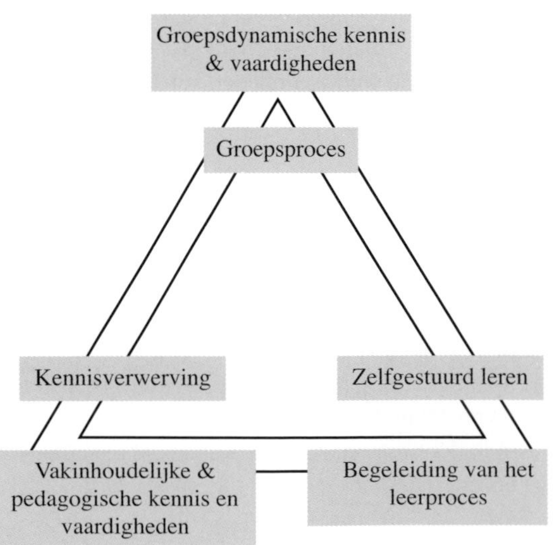

In de eerste plaats *stimuleert* de tutor *het proces van kennisverwerving*. Hij zal op daartoe geëigende momenten de groep stimuleren dieper op de leerstof in te gaan. De tutor kan dit op velerlei wijzen doen: bijvoorbeeld door vragen te stellen over de consequenties en houdbaarheid van bepaalde ideeën, waardoor het denken over een bepaald onderwerp meer richting en diepgang kan krijgen. Ook kan een tutor soms laten zien welke vragen, in welke volgorde en op welke wijze gesteld, bij een bepaalde probleemstelling van toepassing zijn. Hij kan voorbeelden aandragen uit praktijksituaties en de groepsleden vragen hun verklaring voor bepaalde verschijnselen hier eens op los te laten. Hij kan vergelijkingen trekken met analoge situaties waardoor groepsleden gemakkelijker een vertaalslag kunnen maken naar gelijksoortige probleemsituaties. Voorop staat dat de inhoudelijke bijdragen van de tutor dienstbaar moeten zijn aan een diepgaander begrijpen van de vakinhoudelijke kennis die binnen een bepaalde onderwijsperiode aan de orde wordt gesteld. Om dit goed te kunnen doen moet een tutor proberen zich in te leven in het begrippenkader van de studenten en hen stimuleren zelf die vragen te gaan stellen die een deskundige zich over een dergelijk onderwerp stelt. Wanneer studenten voor het eerst geconfronteerd worden met nieuwe onderwerpen uit een bepaald vakgebied, zullen ze daar moeite mee hebben. De tutor kan helpen door misvattingen, gebrekkige denkbeelden en denkwijzen te signaleren en door suggesties te doen waardoor studenten zelf in staat zijn nieuwe kennis te verwerven en te verwerken. Soms zijn er ook situaties in een onderwijsgroep waarin de groep met een (korte) uitleg omtrent een bepaald onderwerp geholpen kan worden. Wanneer de tutor voldoende met het onderwerp vertrouwd is, kan hij de benodigde informatie verschaffen. De tutor zal zijn uitleg over het algemeen beperkt houden en steeds proberen studenten te prikkelen om op eigen kracht tot beter begrip van de leerstof te komen. Ten slotte kan de tutor, wanneer een groep een of enkele problemen afgerond heeft, met de groepsleden nagaan wat men uiteindelijk geleerd heeft, of de wijze van kennisverwerving productief is geweest en of daarin zo nodig verbeteringen kunnen worden aangebracht.
Nauw verbonden met het bovenstaande zijn de activiteiten die een tutor kan ondernemen op het terrein van *het bevorderen van het zelfstandig leren* van de studenten. In een probleemgestuurde leeromgeving zullen de studenten in toenemende mate zelf de verantwoordelijkheid moeten gaan dragen voor hun kennisverwerving. Daartoe moeten de studenten allerlei activiteiten uitvoeren die in meer traditionele leeromgevingen grotendeels door de docent worden uitgevoerd. Het gaat hier om activiteiten als het zelfstandig structureren van de leerstof, verschillende leerstofgebieden met elkaar verbinden, de leerstof kunnen toepassen, kritiek kunnen leveren op het bestudeerde materiaal en reflecteren op sterke en zwakke plekken in de manier waarop kennis en vaardigheden worden eigen gemaakt. De groepsleden moeten geleidelijk aan steeds meer zelf sturing gaan geven aan hun leeractiviteiten. De tutor kan de studenten helpen met het verwerven van deze cognitieve vaardigheden. Hij kan, wanneer dat nodig is, deze vaardigheden voordoen. Hij functioneert dan als een voorbeeld, een model, voor de studenten. Wanneer de studenten deze vaardigheden langzamerhand gaan beheersen kan de tutor optreden als coach. Hij kan observeren wat de studenten

wel en niet doen en hierover opmerkingen maken. Hij kan de studenten attent maken op het ontbreken van bijvoorbeeld voorbeelden of een kritische analyse geven van de bronnen die ze geraadpleegd hebben.
In de derde plaats *bevordert* de tutor de *samenwerking* tussen de leden van de onderwijsgroep. Dit betekent dat hij de voorwaarden die nodig zijn om goed samen te studeren via de probleemgestuurde methode in het oog houdt. De tutor let daartoe op zaken als:

- Hoe is de participatie van groepsleden?
- Wordt er methodisch gewerkt?
- Op welke wijze nemen de groepsleden deel aan de discussie?
- Hoe vervult de gespreksleider zijn rol?
- Hoe maken de andere groepsleden het uitvoeren van het gespreksleiderschap (on)mogelijk?
- Ontstaan er tegenstellingen in de groep, bijvoorbeeld subgroepen, die een goede onderlinge samenwerking belemmeren?
- In welke fase van groepsontwikkeling verkeert deze groep en hoe kan ik deze groep, als ze niet productief samenwerkt, stimuleren om naar meer vruchtbare vormen van samenwerking te komen?

Door de samenwerking tussen de studenten nauwkeurig te observeren kan de tutor fungeren als een soort vangnet met betrekking tot de taken van de gespreksleider. Door duidelijke afspraken vooraf te maken, door regelmatig te evalueren op welke wijze de groep inhoudelijk en procesmatig samenwerkt, kan de tutor de groepsleden helpen optimaal te functioneren in de onderwijsgroep.
Er zijn verschillende manieren waarop docenten hun rol van tutor in de onderwijsgroep vervullen. De wijze waarop een tutor zich gedraagt, is gebaseerd op zijn persoonlijke eigenschappen, de verwachtingen die hij heeft over het onderwijsblok waarin hij actief is, zijn opvattingen over leren en doceren, zijn ervaring met probleemgestuurd onderwijs en zijn ideeën over wat een professionele beroepsbeoefenaar moet kennen en kunnen. Door het interdisciplinaire karakter van een blokthema, zijn tutoren niet altijd even deskundig op alle vakgebieden die in een bepaald blok aan de orde komen. Ook dat kan van invloed zijn op het functioneren van de tutor in de onderwijsgroep. En tot slot wordt een tutor ook beïnvloed door de manier waarop een onderwijsgroep functioneert.

Als student krijg je met verschillende tutorstijlen te maken. De ene tutor zal meer aandacht aan het groepsproces besteden dan de andere. Sommige tutoren zullen je meer aansporen om leerstof meer diepgaand te bestuderen dan andere. Zij concentreren zich vooral op een goede kennisverwerving. Zodanig zelfs dat ze de neiging hebben verantwoordelijkheden en activiteiten van de studenten over te nemen. Deze tutoren leggen zelf veel uit, stellen veel vragen, geven veel voorbeelden.
Ze zijn een groot deel van de onderwijsgroepsbijeenkomst aan het woord. Soms zoveel dat daardoor de bijdragen van de studenten in de knel kunnen komen.
Andere tutoren letten vooral op de samenwerking tussen de studenten. Veelal zwijgend volgen ze de interactie in een onderwijsgroep. Soms interveniëren ze met een korte opmerking.

In ieder nieuw blok begin je niet alleen in een andere onderwijsgroep, maar ook met een andere tutor. Het is nuttig te beseffen dat wanneer je als groep voor het eerst bij elkaar komt, groepsleden uiteenlopende ervaringen hebben gehad met verschillende tutoren. Op basis daarvan zullen ze ook verschillende verwachtingen gevormd hebben over hoe een tutor zich wel of niet met het werk in de onderwijsgroep zou moeten bezighouden. Het ene groepslid is gewend geraakt aan een tutor die de exacte feiten wilde weten, een ander had een tutor die vrij snel iets uitlegde wanneer de groep ook maar even haperde en weer een ander had te maken met een tutor die inhoudelijk weinig tot niets wilde bijdragen. Het vergt enige tijd voordat je aan je nieuwe tutor en zijn benadering van het leren in de onderwijsgroep gewend zult zijn. Vraag hem tijdens de eerste bijeenkomst hoe hij denkt zijn tutorrol te gaan vervullen en bekijk na enkele bijeenkomsten of zijn bijdragen je onderwijsgroep helpen bij het verwerven van inhoudelijke kennis, het zelfstandig leren en de onderlinge samenwerking.

De 'ideale' tutor bestaat niet: de rol van tutor vervullen is en blijft mensenwerk. Toch willen we deze paragraaf afsluiten met een korte karakteristiek van een tutor zoals die volgens ons het beste in probleemgestuurd onderwijs kan functioneren.
Die tutor vindt het bieden van hulp om studenten zo zelfstandig mogelijk te laten leren het belangrijkst. Hij ziet zichzelf niet als degene die vooral informatie moet overdragen. Hij legt zijn kennis van en zijn maatstaven over zijn vak niet aan de studenten op, maar helpt hen hun eigen weg in de verschillende vakgebieden te vinden. Hij toont zijn vakmanschap door te luisteren, vragen te stellen en aanwijzingen te geven. Hij sluit dicht aan op wat studenten al weten en stimuleert hen volgende hindernissen te nemen. Hij moedigt het formuleren van ideeën, verklaringen en hypothesen aan. Hij vraagt regelmatig naar argumenten en voorbeelden. Hij gaat na wat studenten bestudeerd hebben en test hun begrip van het geleerde. Hij zorgt dat de studenten actief werken aan de onderwerpen die in een blok centraal staan. Het bevorderen van het samenwerkingsgedrag in de onderwijsgroep en van een methodische werkwijze ziet hij als een middel tot het bereiken van de inhoudelijke doelstellingen. Kenmerkend voor deze tutor is dat hij de verschillende doceeractiviteiten op de juiste wijze en in de juiste maat kan doseren.

3.7 Informele rollen in een onderwijsgroep

Als lid van een onderwijsgroep heb je tot taak om opdrachten en problemen uit blokboeken tot een goed einde te brengen door taakgericht te werken en door goed samen te werken. De manier waarop dat gebeurt, verschilt van persoon tot persoon. Dit komt doordat groepsleden vaak in een groot aantal aspecten van elkaar verschillen. We noemen er enkele:
- persoonlijkheidskenmerken
- kennis/opleiding

- leeftijd
- ervaring en vaardigheden in het werken in groepen
- motivatie om in onderwijsgroepen te werken

We hebben het eerder gehad over de mogelijke gevolgen van afzonderlijke verbale en non-verbale gedragingen in een groep. Daarnaast hebben we te maken met *gedragspatronen*, dat zijn met elkaar samenhangende gedragingen. Wanneer groepsleden nogal vaak een bepaald gedragspatroon tonen, dan kan men zeggen dat zij een *informele rol* vervullen. Dergelijke gedragspatronen kunnen een duidelijk stempel drukken op het functioneren van de groep. Ter illustratie beschrijven we nu een aantal gedragspatronen die in een groep naar voren kunnen komen. Die beschrijvingen zijn geen karakterschetsen of persoonlijkheidsbeschrijvingen; een persoon kan op verschillende tijdstippen diverse informele rollen vervullen. De keuze van een rol hangt niet alleen samen met persoonlijke motieven en eigenschappen, maar ook met het onderwerp waaraan gewerkt wordt en met de rollen die andere groepsleden vervullen.

De structureerder

Zijn grootste zorg is het dat de groep iets leest. Hij werpt zich – ook ongevraagd – op als gespreksleider. Wanneer de groep in verwarring dreigt te geraken, weet de structureerder in de verschillende bijdragen toch weer een lijn aan te brengen, zodat het gesprek in goede banen verloopt. Hij doet ook voorstellen hoe problemen aangepakt kunnen worden.

De bemiddelaar

Goede persoonlijke verhoudingen tussen groepsleden vindt de bemiddelaar van groot belang. Hij wil graag een goede werksfeer bevorderen en zet zich daarvoor in door een bemiddelende rol te spelen wanneer er in de groep sprake is van rivaliteit en persoonlijke tegenstellingen tussen groepsleden.

De prater

Hij heeft overal een mening over en vindt die zo belangrijk dat hij haar zelfs kwijt moet als niemand erin geïnteresseerd is. Hij heeft niet zo'n belangstelling voor wat anderen vertellen, maar benut iedere adempauze van een ander om zelf weer eens aan het woord te komen. Hij blinkt niet zozeer uit door kennis van zaken, als wel door het feit dat hij onstuitbaar is.

De lolbroek
Hij heeft altijd wel een grap achter de hand, waarmee hij het klimaat in de groep gunstig kan beïnvloeden. Doordat hij echter ook grappen maakt als de groep in een serieuze discussie gewikkeld is, vormt hij nogal eens een rem op de voortgang.

De criticaster
Hij ziet het als zijn plicht om de bijdragen van anderen aan te vallen en door te prikken. Hij is het met de meeste ideeën niet eens en laat dat duidelijk blijken. Hij gebruikt zijn kennis vooral om vragen op te werpen en is tevreden wanneer de aangesprokene geen antwoord kan geven. Hij gebruikt ook niet-verbale middelen als nee schudden of een onverschillige houding aannemen.

De diepgraver
Hij is van mening dat de onderwijsgroep te gemakkelijk over bepaalde onderwerpen heenstapt. Hij vindt het belangrijk een onderwerp tot op de bodem uit te diepen. Hij heeft aan een enkel probleem al voldoende om er vier weken lang met grote overgave op te studeren. Hij verzet veel werk en heeft een grote kennis van zaken. Hij wordt geraadpleegd wanneer iets niet begrepen wordt.

De zeurpiet
Heeft altijd het gevoel dat er zaken niet in orde, afgerond of klaar zijn. Wanneer anderen vinden dat het goed gaat, dan kun je van hem opmerkingen verwachten over minpuntjes, die op lijzige toon breed uitgemeten worden. Is het niet het probleem, dan is het wel het weer, het open raam of zijn ergernis over andermans gedrag waarover geklaagd moet worden.

Wanneer iemand een informele rol vaak vervult, ontstaat het gevaar dat andere groepsleden verwachten dat iemand altijd zo reageert en dat ze daaraan bepaalde positieve of negatieve eigenschappen koppelen. Dit kan leiden tot misverstanden en starheid van handelen, die niet bevorderlijk zijn voor een goede werksfeer. Voor het goed functioneren van onderwijsgroepen is het daarom van belang dat je je bewust wordt van je eigen gedragspatroon en actief probeert om een constructieve rol in de groep te vervullen. Belangrijk hierbij is ook dat je ervaart hoe anderen jou waarnemen en of er een discrepantie is tussen wat je nastreeft en wat de feitelijke effecten van je gedrag in de groep zijn. We komen daar in hoofdstuk 5 op terug.

4 Zelfstudie en zelfstandig leren

4.1 Inleiding

Probleemgestuurd onderwijs veronderstelt een grote mate van zelfstandigheid in het studeren. Het aantal uren dat beschikbaar is voor zelfstudie is dan ook over het algemeen groter dan in andere onderwijssystemen. In de volgende hoofdstukken zullen we het vooral hebben over de activiteiten die je gezamenlijk met anderen onderneemt. Die activiteiten vormen de basis voor de kern van je leerproces: betekenisvol of diepgaand studeren. Hoe je het ook wendt of keert, leren blijft uiteindelijk een individueel proces waar je zelf inspanningen voor moet verrichten.
Studenten uit het voortgezet onderwijs beschikken natuurlijk al over een aanzienlijke hoeveelheid ervaring in het leren. We zullen ons daarom in dit hoofdstuk vooral concentreren op die aspecten van de eigen studieactiviteiten die samenhangen met probleemgestuurd onderwijs en die daardoor voor de meeste studenten nieuw zijn.

Probleemgestuurd onderwijs stelt in een aantal opzichten andere eisen aan je op het punt van het individueel studeren. Het is daarom belangrijk dat je die andere eisen onderkent en probeert een passende werkstijl te ontwikkelen.
Kenmerkend voor de zelfstudieactiviteiten in probleemgestuurd onderwijs is dat je steeds vanuit bepaalde vraagstellingen (de leerdoelen) leerstof gaat bestuderen. Je zult daarbij verschillende *leerbronnen* gebruiken. Die werkwijze wijkt nogal af van de gebruikelijke aanpak volgens welke je een bepaald boek systematisch doorwerkt. Je gaat in een probleemgestuurd programma als het ware kris-kras door de vakliteratuur heen. De samenhang tussen de leerstof die je tegenkomt, zal je zelf in de gaten moeten houden. Vanuit de leerdoelen werk je toe naar kennis van en inzicht in het vak dat je gekozen hebt. In de loop van je studie zal je dan ook een beeld moeten ontwikkelen van de structuur van dat vakgebied, van de verschillende disciplines die ermee samenhangen en van belangrijke theorieën en principes die ertoe behoren.
Wie aan een studie begint in het hoger onderwijs beschikt al over ruime ervaring in zelfstudieactiviteiten: het op eigen houtje bestuderen van een tekst of het maken van opgaven. In een probleemgestuurde studieopzet wordt echter ook van je verwacht dat je zelf de verantwoordelijkheid neemt voor je studieproces. Dit houdt in dat je zelf nagaat op welke wijze je het beste iets kunt leren over belangrijke onderwerpen in je opleidingsprogramma. Problemen in een blokboek worden dan ook niet voorzien van studiewijzers waarin gedetailleerd wordt aangegeven welke leerstof je precies moet bestuderen. Het studieproces is eerder vergelijkbaar met het maken van een profielwerkstuk waarbij je binnen bepaalde grenzen zelf een inhoud bepaalt, leerbronnen kiest en rapporteert. Ook is van belang dat het leerresultaat niet gericht is om aan de eisen van een docent te

voldoen, maar om kennis en vaardigheden te verwerven die je in staat stellen om problemen binnen je vakgebied te analyseren en op te lossen.
Probleemgestuurd onderwijs is geen wondermiddel waardoor je vanzelf een goed beroepsbeoefenaar wordt. Oppervlakkig studeren door mee te liften met de leeractiviteiten van anderen, door vluchtig een boek door te bladeren of door vlak voor een tentamen een handboek uit het hoofd te leren komt ook in een probleemgestuurde leeromgeving voor. Het is zelfs niet uitgesloten dat je niet onmiddellijk afgestraft wordt. Maar de kans is groot dat je uiteindelijk de eindstreep niet haalt.
In dit hoofdstuk gaan we in op een aantal middelen die je kunt gebruiken om structuur aan te brengen in je individuele studieactiviteiten. We besteden aandacht aan de wijze waarop je leerstof kunt *selecteren* en *bestuderen*, aan het maken van een *studieplan*, het hanteren van een *studiedocumentatiesysteem* en het omgaan met *tentamens* en *examens*.
We kunnen in dit boek over een aantal onderwerpen slechts beknopt informatie geven. Achterin dit boek is daarom een lijst met aanbevolen literatuur opgenomen. In die literatuur kun je over een aantal onderwerpen uitvoeriger informatie en aanbevelingen vinden.
Het ontwikkelen van een goede studieaanpak die aansluit bij het onderwijssysteem waarin je werkt, kost enige tijd. Dit boek is bedoeld om in ieder geval een goede start mogelijk te maken, maar het is verstandig in de loop van de studie je werkwijze regelmatig kritisch te bekijken: het is immers niet uitgesloten dat de eisen die aan je gesteld worden veranderen, waardoor een aanpassing van je werkmethoden nodig is. Op die manier 'leer je leren', hetgeen in een toekomstige beroepssituatie belangrijk is omdat de inhoud en vaardigheden die van je verlangd worden, in beroepen snel kunnen veranderen.

4.2 Het selecteren van studiebronnen

Bij het werken aan leerdoelen moet je nieuwe informatie zoeken. Meestal zal er bij een probleem geen directe verwijzing staan naar een hoofdstuk van een boek; je moet zelf een keuze maken. De vraag is dan: hoe doe je dat?
Het is allereerst van belang om je te realiseren dat je, voor het beantwoorden van de vragen die je hebt geformuleerd, vaak diverse bronnen moet raadplegen of in verschillende hoofdstukken van een boek moet zoeken. Behalve boeken en tijdschriften zijn er ook nog andere informatiebronnen, zoals videobanden, computersimulaties en docenten.
Formuleer voor jezelf duidelijk waar je naar zoekt en laat je niet afleiden door allerlei andere informatie die je toevallig tegenkomt bij je speurtocht. Als je iets over een bepaald onderwerp op wilt zoeken, is het zinvol je af te vragen welke termen gebruikt zouden kunnen worden bij de behandeling van dat onderwerp. Hiermee heb je dan een aantal zelf geformuleerde trefwoorden die je het zoeken vergemakkelijken. Soms is het moeilijk om de gezochte literatuur te vinden omdat je onvoldoende op de hoogte bent van vakterminologie. Een *woordenboek*

of *encyclopedie* kan dan wellicht termen opleveren die je beter op weg helpen.

Omdat het in het begin van de studie moeilijk is om zonder steun allerlei keuzes te maken, vind je op velerlei plaatsen *handreikingen*. In het blokboek staan meestal een aantal belangrijke boeken en andere leermiddelen vermeld; soms is er een bundel gereproduceerde artikelen uit de literatuur beschikbaar. Zoek allereerst in die bronnen.
Ook is er voor het eerste jaar meestal een *adviesboekenlijst*, waarin de boeken staan vermeld die nuttig zijn voor deze studiefase. Als je de betreffende boeken zelf niet hebt aangeschaft, kun je die lijst gebruiken bij het zoeken naar een geschikt boek in de bibliotheek.
Mocht dit alles nog niet helpen, dan kun je in de *bibliotheek* op zoek gaan naar een geschikt boek. De meeste vakbibliotheken beschikken over een gecomputeriseerde catalogus met diverse zoekmogelijkheden. Het leren opzoeken van informatie is een belangrijke vaardigheid en bekend raken met de wijze waarop literatuur geordend wordt, is een onderdeel daarvan. Ook krijg je door zoekactiviteiten langzamerhand een beter beeld van de verschillende onderdelen van je vakgebied en van de 'goede' boeken, waarin veel bruikbare informatie te vinden is. Het is belangrijk om snel te leren hoe je literatuur via de catalogus kunt opsporen. Raadpleeg de bibliotheekinstructie en aarzel niet om hulp te vragen als het niet meteen lukt.
Veel bibliotheken beschikken ook over de mogelijkheid om tijdschriftartikelen en rapporten te raadplegen via een lokaal computersysteem of bieden toegang tot informatiebestanden via internet. Ook hier is het zaak om vertrouwd te raken met de bijbehorende zoekprogramma's om relevante informatie op te sporen.

Als je een aantal titels van studiebronnen gevonden hebt, is het van belang om na te gaan of datgene wat je zoekt ook in het betreffende boek of tijdschrift te vinden is. Het heeft weinig zin om een heel boek door te lezen om dan tot de conclusie te komen dat je je geformuleerde leerdoel niet bereikt hebt. De navolgende tips zijn bedoeld als handreikingen om informatie te selecteren. Probeer in vijf tot tien minuten een oordeel te vormen over de geschiktheid van een boek of artikel. Let daarbij op de volgende punten.

1 Ga na waar het boek over gaat en voor wie het geschreven is. Lees daartoe de titel, de flaptekst en het voorwoord of de samenvatting. Als eerstejaars student ben je vaak op zoek naar bronnen die een inleiding tot een bepaald onderwerp geven. Omschrijvingen als 'Leerboek in de ...', 'Introduction in ...' of de vermelding 'Student edition' zijn indicaties daarvoor.
2 Is het boek recent genoeg? Kijk naar het jaar van uitgave en loop de jaartallen in de literatuuropgave vluchtig door. In de meeste studies zal je op zoek zijn naar recente informatie. Boeken die ouder zijn dan tien jaar, dien je argwanend te bekijken.
3 Zoek uit welke pagina's de gezochte informatie zouden kunnen bevatten. Raadpleeg het register, de trefwoordenlijst en de inhoudsopgave. Bij tijd-

schriftartikelen, waarbij vaak geen inhoudsopgave is, is het aan te bevelen de titels van de paragrafen na te lopen.
4 Lees de eerste pagina van het geselecteerde gedeelte. Dit is van belang om na te gaan of je het betoog kunt volgen. Als dat niet lukt is het verstandig om eerst verder te zoeken naar een andere bron.

In toenemende mate speelt ook informatie op internet een rol in opleidingen. Wanneer probleemgestuurd onderwijs aangeboden wordt in een elektronische leeromgeving, dan wordt er vaak verwezen naar informatieve sites over relevante onderwerpen. Wanneer je zelf gaat zoeken naar informatie op het web, dan dien je je te realiseren dat het selecteren van goede bronnen vaak lastiger is dan het vinden van een goede bron in een vakbibliotheek. Iedereen kan informatie op het web zetten en je zult dus moeten leren om het kaf van het koren te scheiden. Op velerlei gebied zijn uitstekende sites en er bestaan ook veel vaktijdschriften die vrij toegankelijk zijn via het web. In de Verenigde Staten hebben veel universiteiten hun leermateriaal vrij toegankelijk gemaakt, waardoor je collegesamenvattingen, werkstukken en casus gemakkelijk kunt raadplegen. Universiteitsbibliotheken bieden op hun site overzichten van door wetenschappers geselecteerde nuttige informatiebronnen op het web. Dergelijke ingangen kun je benutten om bij betrouwbare informatie te komen. Wanneer je via een zoekmachine het web benadert, dan zul je zelf moeten nagaan in hoeverre een bron bruikbaar is. Belangrijke punten zijn dan:

- Welke organisatie beheert de site: een universiteit, een bedrijf, een sekte?
- Bevat de site teksten met duidelijke bronvermelding en verwijzingen?
- Gaat het om volledige teksten of zijn het samenvattingen van elders gevonden informatie?
- Wordt de site regelmatig bijgehouden?

4.3 Het bestuderen van studieteksten

Nadat je hebt vastgesteld of een hoofdstuk of artikel de moeite waard is om te bestuderen, kom je aan de kern van de zelfstudieactiviteiten: het verwerken van de leerstof. Uiteraard ben je allereerst geïnteresseerd in de vraag of je door het lezen van een bepaalde tekst je leerdoel kunt bereiken. Wanneer je een langere tekst, zoals een hoofdstuk of een artikel, hebt geselecteerd is het globaal doornemen van de tekst een goed hulpmiddel. Je gaat daarbij als volgt te werk:
1 Lees de samenvatting of conclusies aan het eind van het geselecteerde gedeelte.
2 Lees de paragraaftitels en let op vetgedrukte of onderstreepte passages.
3 Bekijk tabellen, schema's en afbeeldingen.

Wanneer je na deze voorbereidende activiteiten meent dat je nog steeds op het goede spoor bent, dan kun je het stuk echt gaan bestuderen. De voorgaande stappen hoef je niet te beschouwen als tijdverlies; al doende heb je je namelijk al een

globaal beeld kunnen vormen van wat er in de tekst beschreven staat en je hebt ook al een doel voor ogen. Dit alles maakt een verdere bestudering van de tekst eenvoudiger.
Tijdens het lezen blijft het van belang om je af te vragen of de informatie nuttig is voor een beter begrip van het probleem. Het gaat er echter niet alleen om dat je in de volgende onderwijsgroepsbijeenkomst een aantal verklaringen of uitkomsten kunt geven; je zult belangrijke informatie ook in je geheugen moeten opslaan en schriftelijk vast moeten leggen, zodat je er op een later moment op terug kunt vallen. Je kunt je dus niet tevreden stellen met de constatering dat je het antwoord gevonden hebt op je vraag, maar je moet je die kennis ook *eigen maken*. Het grondig bestuderen van studieteksten om de inhoud daarvan te begrijpen en te onthouden is ook in deze vorm van onderwijs van belang.
Een actieve leerhouding maakt het je gemakkelijker om studiestof te begrijpen en te onthouden. De probleemgestuurde werkwijze is erop gericht om voorwaarden daarvoor te scheppen. Leren (het verwerven, onthouden en weer terugroepen van kennis) binnen een bepaalde context, dus gekoppeld aan een bepaalde vraagstelling, is vaak effectiever dan het verwerven van feiten en inzicht door het buiten een bepaalde context raadplegen van de studiestof. Als je je voorkennis activeert tijdens de analyse van een probleem, als je een leerdoel hebt en de leerstof zelf selecteert, dan zal je nieuwe leerstof effectiever kunnen verwerken. Start je zelfstudie dus met nog eens even in kaart te brengen wat tijdens de analyse van het probleem allemaal gezegd is: welke ideeën zijn er naar voren gebracht, waar was verschil van mening over, waaraan werd getwijfeld, wat bleef onopgehelderd? Wanneer je de discussie tijdens de voorbespreking in je geheugen terugroept, heb je een basis om actief de leerstof te bestuderen: je kunt dan geopperde theorieën, mechanismen of principes verder uitdiepen, corrigeren of verfijnen.
Actief verwerken van de leerstof houdt in dat je probeert om je begrip van het gelezene te testen en probeert na te gaan in hoeverre het lezen bijdraagt aan een beter begrip van het probleem dat uitgangspunt voor je studie vormde (de leerdoelen). Dat betekent dat je niet alleen op zoek bent naar het goede antwoord op één concrete vraag: je leerdoel is een *ingang* om op een zinvolle wijze delen van een vakgebied te leren door het bestuderen van literatuur. Een goede manier om je grondig te verdiepen in de leerstof is het stellen van vragen aan jezelf naar aanleiding van wat je gelezen hebt. Zo kun je je afvragen of de verklaringen in de tekst aansluiten bij datgene wat in de onderwijsgroep al besproken is. Zat de onderwijsgroep al op het goede spoor? Zijn er misschien nieuwe verklaringen? Is datgene wat je leest in strijd met wat je elders gelezen hebt over dit onderwerp? (Dit komt vaker voor dan je wellicht vermoedt!) Begrijp je de betekenis van de vaktermen die gebruikt worden? Kun je de argumentatie volgen die in de tekst gebruikt wordt? Ben je na het lezen in staat om in eigen woorden de inhoud van de tekst samen te vatten?
Het gaat er dus niet alleen om dat je bepaalde informatie gevonden en gelezen hebt, maar dat je vervolgens in staat bent om die informatie ook te gebruiken. Herhaaldelijk overlezen van de kernpunten en oefenen in het kunnen reproduceren van wat je bestudeerd hebt is soms nodig om lastige onderwerpen de baas te worden.

Wanneer je iets niet begrijpt, probeer dan in de tekst naar een toelichting te zoeken. Soms zal je een ander boek moeten raadplegen om eruit te komen. Als dat niet lukt, noteer dan zo duidelijk mogelijk wat je niet begrijpt, zodat je er in de nabespreking op terug kunt komen.
Vooral in het begin van je studie zal je nogal eens moeite hebben om te bepalen hoe ver je een bepaald onderwerp moet bestuderen. Tijdens het lezen duiken steeds nieuwe begrippen en verklaringen op, die op hun beurt weer nagezocht kunnen worden. Soms lijkt het wel of je met één leerdoel de gehele vakliteratuur door moet nemen. Dat is uiteraard niet de bedoeling, maar het is moeilijk om een duidelijke richtlijn te geven. Je kunt echter uitgaan van het gegeven dat de tijd tot de volgende onderwijsbijeenkomst door de makers van het blok als uitgangspunt is genomen voor de zelfstudieactiviteiten. In die tijd kun je onmogelijk een dik boek grondig bestuderen. Indicaties over wat er wel van je verwacht wordt kun je vinden in de inleiding van het blokboek. Je kunt ook een beter idee krijgen door met de tutor in de onderwijsgroep de studieactiviteiten van de onderwijsgroep te bespreken. Daarnaast kunnen studietoetsen je informeren over de eisen die aan je gesteld worden. Na verloop van enige tijd ontwikkel je op basis van dergelijke ervaringen een duidelijker beeld van de eisen die aan je gesteld worden.

4.4 Het maken van aantekeningen en schema's

Op verschillende plaatsen in dit boek is er al op gewezen dat het maken van *aantekeningen* een belangrijk hulpmiddel bij de studie is. Behalve als een hulpmiddel bij het actief verwerken van de leerstof, heb je aantekeningen nodig om een goede nabespreking in de onderwijsgroep mogelijk te maken. Daarnaast zijn ze natuurlijk van belang om voor jezelf vast te leggen wat je belangrijk vond in de tekst, zodat je er op een later tijdstip op terug kunt grijpen. Aantekeningen maken doe je niet alleen tijdens het bestuderen van teksten, maar ook in de onderwijsgroep, bij het raadplegen van inhoudsdeskundigen en bij practica en lezingen.
In de loop van je studie zal je over een groot aantal onderwerpen aantekeningen maken. Om ordening in dat materiaal mogelijk te maken is het van belang om per onderwerp een nieuw vel papier te gebruiken. Maak het tot een gewoonte om bovenaan het blad het onderwerp te vermelden en geef aan op welk moment je de aantekening gemaakt hebt. Het is handig om daarvoor de aanduiding van het blok en het probleem te gebruiken, bijvoorbeeld 'Blok 1.1, probleem 14'.
Vermeld duidelijk de titel en auteur van de studiebron waaraan je je aantekeningen ontleent en ook de geraadpleegde pagina's. Wat je precies opschrijft over de inhoud van het bestudeerde hangt in hoge mate van jezelf af. Het heeft uiteraard weinig zin om lange teksten over te schrijven; beperk je tot hoofdgedachten, definities, belangrijk cijfermateriaal, verklaringen van vaktermen en neem eenvoudige tekeningen of grafieken over.

Het maken van een *schema*, waarin de belangrijkste begrippen uit een tekst visueel worden weergegeven in hun onderlinge relaties, is een hulpmiddel dat je kunt toepassen om ingewikkelde stukken leerstof voor jezelf te verduidelijken. Een schema kan ook een prima startpunt vormen voor de nabespreking in de onderwijsgroep. Bij het maken van een schema kun je als volgt te werk gaan:

1 Zoek de belangrijkste begrippen in de tekst op en noteer die, bijvoorbeeld ideeën, principes, mechanismen.
2 Zoek de relaties tussen de begrippen op.
3 Orden de begrippen door het maken van een schema. Begin daarmee door een of enkele kernbegrippen als uitgangspunt te kiezen. Omlijn ieder begrip.
4 Zet een schema ruim op, zodat je nog aanvullingen kunt maken.
5 Probeer een begrijpelijke structuur aan te brengen (bijvoorbeeld een hiërarchie) en gebruik een begrip slechts eenmaal in het schema.
6 Gebruik geen kruisende en lange lijnen.
7 Wanneer je meer dan één tekst over hetzelfde onderwerp bestudeert, probeer dan op basis van je eerste schema, de concepten uit de tweede of derde publicatie binnen het kader van de eerste te integreren.
8 Probeer het schema te vereenvoudigen door begrippen en relaties samen te voegen.
9 Verschillen in opvattingen kunnen met andere kleuren geaccentueerd worden.

Figuur 4.1 geeft een voorbeeld van een dergelijk schema. Zo'n schema wordt een 'concept map' genoemd. 'Concept mapping' is een techniek waarbij een netwerk van onderling verbonden concepten wordt uitgewerkt. Belangrijk bij concept maps is dat de relaties tussen de concepten kort-en-krachtig worden aangeduid. De techniek van concept mapping heeft enkele voordelen ten opzichte van de gebruikelijke manier van samenvattingen maken.

- Concept mapping sluit op een natuurlijke wijze aan bij de wijze waarop mensen informatie opslaan in hun geheugen. Mensen bouwen namelijk kennisnetwerkstructuren op. Ze verbinden concepten vaak in hiërarchische netwerken.
- Concept mapping 'dwingt' je tot actief studeren. Door te zoeken naar de belangrijkste concepten en hun onderlinge verbindingen bewerk je de leerstof op een betekenisvolle wijze. Deze werkwijze ondersteunt het weer terughalen van eerder verworven kennis.
- Concept mapping maakt je alert op hoofd- en bijzaken in een tekst, laat je inconsistenties ontdekken en maakt je bewust van wat je niet begrijpt.
- Concept maps zijn een visuele representatie van onze kennis. Veel mensen visualiseren informatie. Concept maps sluiten dus op een natuurlijke wijze aan bij bepaalde leer- en denkprocessen. Ze ondersteunen daardoor het onthouden van informatie.
- Een concept map kun je op een gemakkelijke wijze gebruiken om verschillende bronnen over dezelfde leerstof te verwerken. Uitbreidingen of veranderingen kunnen op een relatief eenvoudige wijze worden weergegeven.
- Een of meer concept maps bieden een geschikt startpunt voor de nabespreking in een onderwijsgroep.

Als je zelf over een computer beschikt, kun je de grafische mogelijkheden van allerlei tekstverwerkers benutten om schema's te maken. Er bestaan overigens ook speciale programma's om concept maps te maken. Achtergrondinformatie over concept mapping vind je op de website.

Figuur 4.1 *Concept map over stofwisseling in menselijk lichaam*

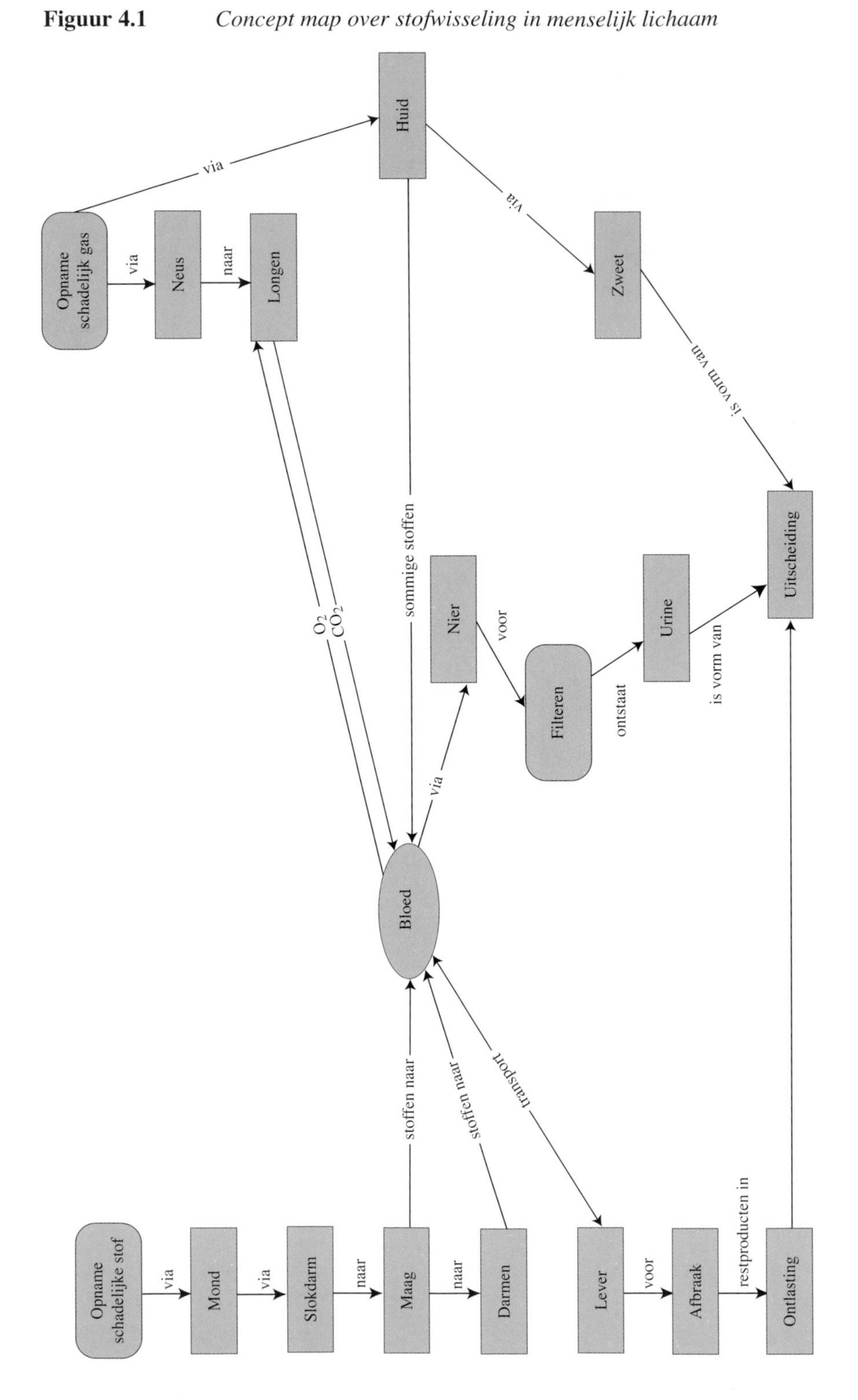

4.5 Studieteksten in een vreemde taal

In de meeste studieprogramma's in het hoger onderwijs worden, naast Nederlandstalige boeken, studieboeken in een vreemde taal gebruikt. Bij je speurtocht door de literatuur zal je dan ook regelmatig op studieboeken stuiten die in het Engels, Frans of Duits geschreven zijn. Het verwerken van leerstof in een vreemde taal is voor je latere beroepsuitoefening vaak noodzakelijk omdat belangrijke delen van de vakliteratuur (tijdschriften) in die talen geschreven zijn.
In het algemeen moet je er rekening mee houden dat het verwerken van leerstof in een vreemde taal extra tijd kost omdat je kennis van die taal niet toereikend is. Soms lukt het je niet om de strekking van een passage goed te interpreteren of loop je helemaal vast in zinsconstructies die je niet begrijpt. Je zult ook moeten wennen aan het gegeven dat het lezen van een roman of verhaal in een vreemde taal, zoals je dat in je vooropleiding gedaan hebt, toch iets anders is dan het leren uit een studieboek in een vreemde taal. Dat komt uiteraard door het andere taalgebruik en het gebruik van vakterminologie, maar bovendien moet je de inhoud ook verbinden met de kennis die je al hebt over een onderwerp. Na het vertalen van een passage zal je je dus moeten afvragen wat je aan die nieuwe informatie hebt.
Bij je eerste kennismaking met studieteksten in de vreemde taal heb je wellicht iets aan de volgende aanwijzingen.

- Zorg dat je een goed *woordenboek* bij de hand hebt. De bekende handwoordenboeken Engels-Nederlands zullen niet altijd de betekenis van vaktermen bevatten. In de bibliotheek kun je dan een verklarend woordenboek in de betreffende vreemde taal of een specifiek vakwoordenboek raadplegen.
- Bij het opzoeken zal je twee *uitersten* moeten vermijden.
  1. Zoek niet alles op wat je niet zeker weet. Je hebt het anders zo druk met vertalen, dat je aan studeren niet meer toekomt.
  2. Raad niet alles wat er te raden valt. Je zit anders zelf een boek te verzinnen en de kans dat je zaken verkeerd leert, is groot.
- Als je de strekking van een zin niet begrijpt, zoek dan een woord op. (Ken je een aantal woorden in de zin niet, begin dan met het opzoeken van het werkwoord; neem vervolgens de zelfstandige naamwoorden en als je de zin dan nog steeds niet goed begrijpt, uiteindelijk ook andere woorden.)
- Schrijf de betekenis van vaktermen op in een aparte lijst. Het is gemakkelijker om later zo'n lijst te raadplegen dan opnieuw de term in een woordenboek te moeten opzoeken.
- Als je woordenschat in een bepaalde taal erg beperkt is, kun je ook een lijst aanleggen met de betekenissen van andere woorden die vaak voorkomen.

Als je bovenstaande procedure volgt, kost dat uiteraard tijd. Je leert iets over je vak én je leert een vreemde taal beter kennen. Beide taken moet je goed uit elkaar houden. Een alinea die je met behulp van het woordenboek hebt zitten *vertalen,* moet je daarna ook nog *bestuderen.* Je moet nagaan wat de alinea bijdraagt aan de informatie over je onderwerp. Het hoofddoel van het bestuderen van een

studietekst blijft: het verkrijgen van kennis over het vak.
Wanneer je merkt dat je met het bestuderen van teksten in de vreemde taal kennelijk meer moeite hebt dan je medestudenten, dan zal je extra aandacht aan het leren beheersen van die taal moeten besteden. Behalve door extra tijd uit te trekken om studieteksten in die taal te bestuderen, kun je jezelf ook oefenen door een roman, een tijdschrift of een krant in die taal te lezen. Ervaring opdoen met het lezen van een vreemde taal is nog altijd het belangrijkste advies dat te geven valt.

4.6 Studiedocumentatie

De manier waarop je in probleemgestuurd onderwijs studeert, houdt in dat je over allerlei onderwerpen kennis vergaart uit verschillende studiebronnen. Je zult zelden een boek van het begin tot het eind uitlezen; meestal zal je een of enkele hoofdstukken bestuderen om daarna weer een ander boek ter hand te nemen. Deze werkwijze vereist echter wel dat je voor jezelf overzicht behoudt over wat je al gedaan hebt. Uiteraard zal je in een blok vaak nog kunnen onthouden waar je iets over een bepaald onderwerp gelezen hebt en bij welk probleem je over een bepaald onderwerp aantekeningen hebt gemaakt. Na verloop van enkele blokken heb je echter zoveel onderwerpen bestudeerd, dat je geheugen je niet altijd zal kunnen helpen.
Het kunnen terugvinden van informatie is van groot belang omdat bij het doornemen van eerder gemaakte aantekeningen of het opnieuw bekijken van een tekst die je al eens bestudeerd hebt, je kennis gemakkelijker geactiveerd wordt. Het overlezen bevordert bovendien het onthouden van de betreffende kennis.

Het opzetten van een documentatiesysteem heeft als doel het *overzicht* te behouden over de informatie die je in de loop van de tijd verzameld hebt. Dat houdt in dat de informatie zodanig geordend is dat je er zonder al te veel moeite weer een beroep op kunt doen.
De opbouw van een eigen *handbibliotheek,* bestaande uit boeken die je regelmatig gebruikt, vormt de hoeksteen van je documentatiesysteem. Het is een misverstand te denken dat je in probleemgestuurd onderwijs kunt volstaan met het maken van aantekeningen uit geleende boeken (eventueel aangevuld met wat fotokopieën). In je eigen studieboeken kun je korte aantekeningen maken en je kunt er altijd over beschikken. Na verloop van tijd ken je de structuur van veelgebruikte studieboeken waardoor je minder energie in het bijhouden van een documentatiesysteem hoeft te stoppen. Kortom, investeren in studieboeken is van belang.
Je persoonlijke documentatiesysteem bestaat verder uit blokboeken, literatuuroverdrukken, je aantekeningen over diverse onderwerpen, toetsresultaten en andere materialen die betrekking hebben op wat je bestudeerd hebt (bijvoorbeeld werkstukken).
Een aandachtspunt vormt de informatie die je op het web gevonden hebt. Het is uiteraard verstandig om webadressen duidelijk vast te leggen, maar je zult er snel

achterkomen dat deze adressen veranderen en dat pagina's vernieuwd worden. Downloaden van belangrijke informatie en opslaan op je eigen computer is dan van belang om in de toekomst in staat te zijn gevonden informatie nog eens te raadplegen.

Wil een studiedocumentatiesysteem toegankelijk zijn, dan dient het goed geordend te zijn. Er is een grote variatie in ordeningssystemen mogelijk. In het ideale geval zou je over een systeem willen beschikken waarin je op basis van trefwoorden direct kunt opzoeken waar je al iets over het onderwerp hebt verzameld. En wie over een personal computer beschikt, zou erover kunnen denken om een elektronische kaartenbak op te zetten. Aan ideale, sluitende, systemen zit echter een niet gering bezwaar: het opzetten ervan is moeilijk en tijdrovend. Je moet vanaf de eerste dag een duidelijk beeld hebben van de trefwoorden die je zult gebruiken; er mogen bijvoorbeeld niet allerlei uitgebreide onderwerpen onder één trefwoord vallen. En je zult na het bestuderen van een stuk leerstof steeds trefwoorden moeten noteren en in een systeem moeten invoeren.
De energie die je in het ordenen van de informatie steekt zal moeten opwegen tegen het gemak dat je van je systeem hebt. Je ontkomt echter ook niet aan enige ordening van je materiaal, omdat je anders weer veel tijd kwijt bent met zoeken in de verzamelde informatie.
In de praktijk blijken studenten allerlei oplossingen te bedenken die gebruiksgemak koppelen aan een zo gering mogelijke hoeveelheid extra energie. Die systemen zijn dan ook niet volledig waterdicht en de betreffende persoon zal ontbrekende gegevens uit zijn geheugen dienen op te vissen.
Hoe zo'n systeem het beste kan worden opgezet hangt samen met persoonlijke voorkeuren en gewoonten. Ook de aard van het onderwijsprogramma en de structuur van het vakgebied zijn van belang. Gedetailleerde voorschriften zijn dan ook niet te geven. In plaats daarvan geven we hieronder enkele korte voorbeelden hoe studenten zelf ordeningen aanbrengen.

Ordening per blok
Veel systemen zijn gebaseerd op het gegeven dat je je vaak bij benadering kunt herinneren in welk blok je een bepaald onderwerp gehad hebt. Alle losse informatie (aantekeningen, kopieën en toetsgegevens) die in een bepaald onderwijsblok aan de orde is geweest, verzamel je in een aparte map of klapper. Soms teken je in het blokboek bij de betreffende problemen aan welk materiaal er beschikbaar is; ook kun je voor in de klapper een overzicht van de inhoud geven.

Ordening per onderwerp
Dergelijke systemen gaan altijd uit van een bepaald trefwoordensysteem. Bij uitgebreide varianten wordt een kaartsysteem bijgehouden waarop vermeld staat waar de betreffende informatie zich bevindt. In eenvoudiger systemen kun je de informatie per onderwerp direct bundelen in afzonderlijke mappen.

Mengvormen
Sommige studenten gaan uit van een systeem gebaseerd op de onderwijsblokken, maar hevelen de informatie betreffende een onderwerp over naar het laatste blok waar dit onderwerp ter sprake is gekomen.
Soms wordt de informatie over bepaalde onderwerpen gekoppeld aan bepaalde studieboeken. Via korte aantekeningen in het boek wordt dan verwezen naar mappen met aanvullende informatie.

4.7 Timemanagement

Probleemgestuurd onderwijs, we hebben het al een aantal malen in dit boek benadrukt, stelt hoge eisen aan je zelfwerkzaamheid: er wordt vaker een beroep op je gedaan om zelf je studie in te richten. Wanneer je voor het eerst met deze onderwijsvorm kennismaakt, krijg je waarschijnlijk de indruk dat je een zee van tijd voor jezelf hebt. In zekere zin klopt dat ook. Het aantal uren contactonderwijs (onderwijsgroepsbijeenkomsten, practica enzovoort) is geringer dan in andere onderwijssystemen. Meestal zijn er in een onderwijsblok per week twee groepsbijeenkomsten van twee uur en worden er acht tot tien uren besteed aan practica, trainingen en lezingen.
Een belangrijk deel van de week heb je dus voor jezelf, maar die tijd dient ingevuld te worden met zelfstudie. Je kunt er namelijk van uitgaan dat onderwijsprogramma's in het hoger onderwijs gebaseerd zijn op een studielast van ongeveer 40 uur per week. Dat betekent dat er door de docenten rekening mee gehouden wordt dat studenten ongeveer 25 tot 30 uur per week aan zelfstudie besteden. Uiteraard kunnen daar in de praktijk variaties in voorkomen, maar het is verstandig om met een dergelijk aantal uren rekening te houden.

Bij het kiezen van de uren die je wilt besteden aan zelfstudie, heb je dus een tamelijk grote vrijheid. In het algemeen zullen de tijdstippen waarop een onderwijsgroepsbijeenkomst is gepland een richtpunt voor je studieactiviteiten vormen. Iedere week wordt er van je verwacht dat je werkt aan de leerdoelen en daarvoor is een soort ritme in je zelfstudieactiviteiten noodzakelijk. Voorts moet je uiteraard rekening houden met andere studieverplichtingen in een week, zoals practica en lezingen. Ten slotte zijn er ook nog studie-inspanningen die je niet in een of twee dagen kunt afronden, zoals het maken van een werkstuk.
We raden je aan om aan het begin van een blok een globale planning van je studietijd te maken, zodat je niet voor onaangename verrassingen wordt geplaatst. Hoe die planning er precies uitziet hangt in hoge mate van jezelf af. Sommige studenten werken graag in de vroege ochtenduren, andere 's avonds laat. Verder kunnen allerlei persoonlijke omstandigheden een rol spelen, zoals deelname aan verenigingsleven en sportactiviteiten, een baantje en de behoefte aan een vrij weekend.
Je moet ook rekening houden met zaken als de beschikbaarheid van voorzieningen, zoals boeken in de bibliotheek en intekenmogelijkheden voor practica. Soms

zal je je planning moeten aanpassen omdat je medestudenten ook een beroep doen op die voorzieningen. Ook is het handig om je studieactiviteiten zo te plannen dat je niet nodeloos veel reistijd kwijt bent met heen en weer rijden tussen je kamer en allerlei locaties van het onderwijsinstituut.
De eerste tijd zal je ongetwijfeld nog je draai moeten vinden. Het vinden van een zekere regelmaat in je zelfstudieactiviteiten is een doel dat je daarbij voor ogen dient te hebben.
Tijdschrijven biedt de mogelijkheid een globale analyse te maken van je studieplanning en biedt aanknopingspunten om die zo nodig te verbeteren.
Houd de komende week eens bij waar je tijd blijft. Gebruik een werkschema zoals afgebeeld in figuur 4.2. Noteer in dat schema een aantal keren per dag wat je de voorgaande paar uur hebt gedaan. Stel dat noteren niet uit tot 's avonds of de volgende dag, want dan gaat de nauwkeurigheid en daarmee het effect geheel verloren. Probeer een eerlijk beeld van je eigen tijdsbesteding te maken. Onderscheid de volgende coderingen bij het invullen:

a georganiseerde onderwijsactiviteiten, zoals onderwijsgroepsbijeenkomsten, trainingen, practica en lezingen
b zelfstudieactiviteiten in bibliotheek of studielandschap
c zelfstudieactiviteiten thuis
d reistijden
e persoonlijke verzorging: eten, slapen, douchen
f huishoudelijke activiteiten: schoonmaken, boodschappen doen
g ontspanning, zoals sport, cafébezoek of tv-kijken

Maak op de achterkant van het werkschema aantekeningen over wat je bestudeerd hebt: welk boek, welk onderwerp, hoeveel bladzijden en hoeveel tijd.
Op de website staan praktische tips en meer informatie over timemanagement.

Figuur 4.2 *Tijdregistratieschema*

Tijd	Maandag datum:	Dinsdag datum:	Woensdag datum:	Donderdag datum:	Vrijdag datum:	Zaterdag datum:	Zondag datum:
07.00 – 07.30	....	....	....	....	....	....	....
07.30 – 08.00	....	....	....	....	....	....	....
08.00 – 08.30	....	....	....	....	....	....	....
08.30 – 09.00	....	....	....	....	....	....	....
09.00 – 09.30	....	....	....	....	....	....	....
09.30 – 10.00	....	....	....	....	....	....	....
10.00 – 10.30	....	....	....	....	....	....	....
10.30 – 11.00	....	....	....	....	....	....	....
11.00 – 11.30	....	....	....	....	....	....	....
11.30 – 12.00	....	....	....	....	....	....	....
12.00 – 12.30	....	....	....	....	....	....	....
12.30 – 13.00	....	....	....	....	....	....	....
13.00 – 13.30	....	....	....	....	....	....	....
13.30 – 14.00	....	....	....	....	....	....	....
14.00 – 14.30	....	....	....	....	....	....	....
14.30 – 15.00	....	....	....	....	....	....	....
15.00 – 15.30	....	....	....	....	....	....	....
15.30 – 16.00	....	....	....	....	....	....	....
16.00 – 16.30	....	....	....	....	....	....	....
16.30 – 17.00	....	....	....	....	....	....	....
17.00 – 17.30	....	....	....	....	....	....	....
17.30 – 18.00	....	....	....	....	....	....	....
18.00 – 18.30	....	....	....	....	....	....	....
18.30 – 19.00	....	....	....	....	....	....	....
19.00 – 19.30	....	....	....	....	....	....	....
19.30 – 20.00	....	....	....	....	....	....	....
20.00 – 20.30	....	....	....	....	....	....	....
20.30 – 21.00	....	....	....	....	....	....	....
21.00 – 21.30	....	....	....	....	....	....	....
21.30 – 22.00	....	....	....	....	....	....	....
22.00 – 22.30	....	....	....	....	....	....	....
22.30 – 23.00	....	....	....	....	....	....	....
23.00 – 23.30	....	....	....	....	....	....	....
23.30 – 24.00	....	....	....	....	....	....	....
24.00 – 00.30	....	....	....	....	....	....	....
00.30 – 01.00	....	....	....	....	....	....	....

Na het invullen van de lijst kun je de zaken voor jezelf eens op een rijtje zetten aan de hand van de volgende vragen:

- Zijn er bepaalde tijden op de dag dat je het meest productief bent? Waarom zijn deze tijden voor jou het meest productief?
- Welke verwachtingen had je omtrent tijdsbesteding en productiviteit en worden deze verwachtingen gerealiseerd in de tijdregistratie?
- Waaraan verspil je veel tijd: perfectionisme, me zorgen maken, gebrek aan persoonlijke organisatie, niet stellen van prioriteiten, telefoneren, tv-kijken, reizen, conversaties in de bibliotheek of koffiebar, veel bezoek ontvangen of veel op bezoek gaan?
- Wat zijn volgens jou de belangrijkste oorzaken voor tijdverlies/tijdverspilling?
- Wanneer kwam je in tijdnood?
- Welke storende factoren met betrekking tot het studeren kun je lokaliseren?
- Welke factoren kun je lokaliseren die het studeren bevorderen?
- Vind je dat je je tijd evenwichtig besteed hebt aan de verschillende categorieën? Wat zou je anders kunnen doen?

Je kunt ook in de onderwijsgroep afspreken om de tijdsbesteding gedurende een week bij te houden en na te bespreken. Op die manier krijg je er tevens een indruk van hoe anderen met hun tijd omspringen.

4.8 Tentamens, examens en studiepunten

Ieder onderwijsprogramma kent studiepunten toe aan succesvol afgesloten studieonderdelen. In Europees verband is hiervoor een systeem afgesproken: het European Credit Transfer System (ECTS). Een voltijds studiejaar levert 60 ECTS-punten op. Volgens de Nederlandse regels wordt verwacht dat een 'gemiddelde' student 42 weken 40 uur aan studie-inspanning levert. Een ECTS-punt komt dan overeen met 28 uur studie. Uiteraard kan de werkelijke studiebelasting variëren, want niet iedereen is hetzelfde: soms is er meer tijd nodig, maar soms ook minder.
De wijze waarop studiepunten in de praktijk zijn gekoppeld aan studie-inspanningen verschilt van programma tot programma. Soms worden de studiepunten volledig gekoppeld aan het behalen van een afsluitende bloktoets, maar in andere programma's kunnen punten ook verworven worden door deelname aan practica en vaardigheidstrainingen, het maken van werkstukken of het houden van een presentatie.

Aangezien studierichtingen sterk van elkaar verschillen in de wijze waarop zij hun tentamen- en examensysteem vormgeven, kunnen we je in dit boek slechts een paar algemene aanwijzingen geven ten aanzien van dit onderwerp.

1 Lees de informatie over hoe het examensysteem in je studierichting eruitziet grondig door en verzuim niet om vragen te stellen over dingen die je niet

duidelijk zijn. Let ook goed op allerlei aanvullende verplichtingen, zoals het maken van werkstukken, het houden van een mondelinge presentatie, het volgen van practica, aanwezigheidsplicht in de onderwijsgroep en wat je moet doen als je verhinderd bent om aan een examenonderdeel mee te doen.

2 Lees ook goed na op welke wijze de studiepunten verworven kunnen worden.
3 Bekijk voordat je de eerste keer 'echt' een toets moet maken eens een oude toets om een indruk te krijgen van de vragen die gesteld kunnen worden. In sommige studierichtingen wordt dergelijke informatie ter beschikking gesteld of wordt een proeftoets afgenomen. In andere gevallen kun je wellicht een student vinden die de toets van vorig jaar bewaard heeft.
4 Gebruik de feedback die je krijgt. Het is gebruikelijk dat de toetsuitslag niet alleen bestaat uit een eindcijfer, maar ook uitvoerige informatie bevat over welke vragen je goed of fout had en wat het resultaat van je jaargroep was. Het is verstandig om die informatie te gebruiken als feedback op je studieactiviteiten. Zo kun je nagaan welke onderdelen je kennelijk onderschat hebt, welke leerstof je niet begrepen hebt en hoe je resultaten zich verhouden tot die van andere studenten.
5 Ga na of het antwoord van de docent correct is. In probleemgestuurd onderwijs komt nogal eens aan het licht dat studieboeken tegenstrijdige informatie over bepaalde onderwerpen geven. Dat kan ertoe leiden dat je aan de hand van een boek kunt aantonen dat je een vraag goed hebt beantwoord terwijl het antwoord fout wordt gerekend. Schrijf dan direct een briefje aan de betrokken docent; meestal wordt de vraag dan geschrapt.
6 Ga, wanneer je een onvoldoende resultaat geboekt hebt, direct na op welke wijze en wanneer er een herkansingsmogelijkheid bestaat.

4.9 Het lukt me niet

Veel studenten blijken probleemgestuurd onderwijs als methode op prijs te stellen. Onderzoek onder studenten aan de Universiteit Maastricht heeft uitgewezen dat veel studenten deze onderwijsmethode als belangrijkste reden opgeven om in Maastricht te gaan studeren.
Onderwijsprogramma's waarin probleemgestuurd onderwijs wordt toegepast, kenmerken zich vaak door een geringer aantal uitvallers en een kortere studietijd. Dergelijke positieve uitkomsten betekenen echter niet dat iedereen zonder problemen in een dergelijk onderwijssysteem functioneert. Niet iedereen kan de discipline opbrengen om zelf vorm te geven aan zijn studieactiviteiten. Dat kan ertoe leiden dat te weinig tijd aan de studie wordt besteed. Ook blijken sommige studenten zich erg onzeker te voelen omdat ze niet te horen krijgen wat er precies bestudeerd moet worden. Anderen blijken het werken in een onderwijsgroep erg vervelend te vinden. Verder komen soms studenten tot de conclusie dat ze een verkeerde studiekeuze hebben gemaakt.

Twijfels hebben over je studiekeuze of studieaanpak is niet iets bijzonders. Veel studenten zullen zich na enkele maanden studie wel eens afvragen of dit programma biedt wat ze ervan verwachtten. Tegen die tijd wordt ook vaak duidelijk wat er nog allemaal gedaan moet worden en de onzekerheid of je dat allemaal wel zult kunnen kan dan bij je opkomen. Het is verstandig om die twijfels eens te bespreken met medestudenten of met een tutor, studieadviseur of studentendecaan. Door gesprekken kom je misschien tot een betere aanpak; vaak zal blijken dat je te maken hebt met aanloopproblemen die te overwinnen zijn. Wanneer je problemen hebt met bepaalde delen van de studiestof, besteed dan extra aandacht aan zo'n onderwerp. Veel problemen komen echter voort uit de manier waarop je studeert. In het kader van dit boek hebben we aan specifieke studieproblemen weinig aandacht geschonken, maar in de lijst met aanbevolen literatuur is een aantal titels vermeld van boeken die dieper ingaan op bepaalde studievaardigheden en studieproblemen.
Wanneer na verloop van tijd mocht blijken dat je inderdaad een andere studierichting wilt doen dan kunnen gesprekken je helpen om een goede nieuwe keuze mogelijk te maken

4.10 Leren leren

Probleemgestuurd onderwijs is een uitdaging aan de student om zelf actief aan de slag te gaan om een vak onder de knie te krijgen. Een actieve leerhouding is niet alleen een goede manier om een diploma te verwerven, het is ook een voorbereiding op je latere loopbaan als beroepsbeoefenaar. Universitaire en hogere beroepsopleidingen zijn gericht op beroepen waarin complexe kennis en vaardigheden een belangrijke rol spelen. De eisen die aan dergelijke beroepen worden gesteld veranderen echter voortdurend door het beschikbaar komen van nieuwe kennis, inzichten en technieken. De vaardigheden die van je geëist worden, zijn dan ook voortdurend aan verandering onderhevig.
Tegenwoordig kom je veelvuldig de term competenties tegen: het geheel van kennis, vaardigheden en attitudes die betrekking heeft op een bepaald onderdeel uit je beroep. Enkele voorbeelden van competenties die momenteel van je verlangd worden zijn: kunnen werken in een team, leiding kunnen geven aan een groep medewerkers, flexibel en creatief problemen kunnen oplossen, zelfstandig kunnen werken. Al die competenties vergen dus kennis (bijvoorbeeld over de wijze waarop teams zich in de tijd ontwikkelen), vaardigheden (bijvoorbeeld kunnen communiceren met anderen) en attitudes (in staat zijn een open houding ten opzichte van anderen te ontwikkelen en te handhaven, ook in tijden van conflicten).
In opleidingen wordt studenten vaak de mogelijkheid geboden om te reflecteren over hun vorderingen op het terrein van deze en andere competenties. Een instrument dat daarbij gebruikt wordt, is het *portfolio*. Een portfolio is een soort boekwerkje dat je tijdens je studie bijhoudt en waarin je verslag doet van je vorderingen en ontwikkelingen op het terrein van de competenties die voor je

toekomstig beroep van belang zijn. Dit betekent enerzijds dat je doelen moet formuleren (wat wil ik binnen een halfjaar en een jaar bereiken?), anderzijds dat je kritisch bekijkt of je je doelen behaalt (wat zijn mijn sterke en zwakke kanten op dit terrein?; hoe kan ik mijn sterke kanten uitbouwen?; hoe kan ik mijn zwakke kanten afbouwen?). Hiervoor is informatie nodig. Informatie van jezelf, van medestudenten en van docenten. Informatie die je bewust en op directe wijze kunt verzamelen door anderen te vragen hoe je functioneert. Soms krijg je die informatie via toetsen en examens, vaak via opmerkingen van groepsleden of tutoren en practicumdocenten. Maar er is ook informatie die je op indirecte wijze ontvangt. Als je voor al deze informatie openstaat, heb je vele mogelijkheden om je als professional te ontwikkelen.

In de volgende twee hoofdstukken zullen we je informeren over de wijze waarop je als groepslid, notulist en als gespreksleider in een onderwijsgroep kunt functioneren. Kennis, vaardigheden en attitude spelen hierbij een rol. Probleemgestuurd onderwijs geeft je de kans om vanaf de start van je opleiding te leren hoe je nieuwe kennis en vaardigheden zelfstandig kunt verwerven. En je doet ook belangrijke ervaring op in het samen werken aan problemen door kennis te delen, verschillende gezichtspunten te combineren en in een groep naar een resultaat toe te werken. 'Leren leren' is naast het behalen van het diploma dan ook een belangrijk doel om na te streven.

5 Vaardigheden voor de onderwijsgroep

5.1 Inleiding

In dit hoofdstuk zullen we ingaan op de vaardigheden waarover studenten moeten beschikken om effectief in onderwijsgroepen te kunnen samenwerken. Samen kunnen werken met anderen is een vaardigheid die in allerlei beroepsgroepen van medewerkers vereist wordt. Enerzijds hangt dit samen met het feit dat organisaties 'platter' worden, anderzijds is men er zich steeds meer van bewust dat de omvang van de problemen waarmee organisaties en de samenleving geconfronteerd worden 'teamwork' vergen. In organisaties tref je steeds vaker projectteams aan, bestaande uit mensen met een verschillende professionele achtergrond, die voor een bepaalde tijd samen proberen problemen in of buiten de organisatie op te lossen. Om goed te functioneren in deze teams moet je niet alleen beschikken over vakinhoudelijke kennis, maar ook over goede sociale en communicatieve vaardigheden. Je moet bijvoorbeeld goed naar elkaar kunnen luisteren, leiding kunnen geven aan het team of een deel daarvan, vergaderingen kunnen voorzitten, weten op welke wijze je adequaat om kunt gaan met minder goed functionerende collega's, kunnen onderhandelen, kritiek van anderen kunnen hanteren maar ook kritiek kunnen geven en de voortgang van de werkzaamheden kunnen inschatten, waarderen en bijsturen. Een onderwijsgroep is een werkplaats om deze vaardigheden te verwerven en uit te breiden. In dit hoofdstuk belichten we de vaardigheden die van belang zijn voor alle leden van een onderwijsgroep, in het volgende hoofdstuk komen de vaardigheden aan bod die noodzakelijk zijn om een groep te leiden.

5.2 Starten van een nieuwe onderwijsgroep

Een onderwijsgroep wordt meestal voor de duur van één blok samengesteld. Aan het begin van ieder blok begin je dus te werken met een nieuwe groep studenten en een andere tutor.
Omdat de samenstelling van een groep per blok varieert, moeten de groepsleden tijdens de eerste bijeenkomst van een nieuwe groep afspreken hoe de werkwijze in de groep zal zijn. Om tot een goede samenwerking te komen is het van belang om in de eerste groepsbijeenkomst aandacht te besteden aan de volgende punten:
1 kennismaking
2 afspraken over de werkwijze van de groep
3 planning

Ad 1 Kennismaking

Je kunt ervan uitgaan dat je in iedere onderwijsgroep wel medestudenten zult tegenkomen die je niet eerder hebt ontmoet. Kennismaking met elkaar en met de tutor is dan ook noodzakelijk. Behalve het noemen van je naam en andere persoonlijke gegevens is het belangrijk om ook iets te vertellen over je verwachtingen en plannen voor het komende blok. We raden je aan ter voorbereiding van de eerste bijeenkomst altijd de inleiding van het blokboek door te lezen en de verdere inhoud globaal door te nemen. Op basis daarvan kun je vertellen bij welke aspecten van het blok je interesses liggen. Voorts kun je iets zeggen over ervaringen die je mogelijk al hebt op bepaalde terreinen. Tot slot is het ook belangrijk iets te zeggen over je verwachtingen over de samenwerking in de onderwijsgroep.

Het onthouden van elkaars naam kan in het begin nogal eens moeilijk zijn. Je kunt elkaar daarbij helpen door tijdens de eerste bijeenkomsten een kaart met je naam voor je op tafel te zetten. Schrijf je naam op de voor- en achterzijde van de kaart, zodat ook je buren aan tafel je naam kunnen lezen en leren kennen.

Ad 2 Afspraken over de werkwijze van de groep

Het is nuttig om bij de start van een nieuwe onderwijsgroep een aantal zaken over de onderlinge werkwijze duidelijk met elkaar af te spreken. Tijdens de duur van de onderwijsperiode kan het nodig zijn om op deze afspraken terug te komen en ze zo nodig te herzien. Onderwerpen waarover afspraken gemaakt kunnen worden zijn:

- de mate en wijze van voorbereiding op de onderwijsgroepsbijeenkomsten
- de aanwezigheid van de groepsleden en hoe er gehandeld wordt wanneer groepsleden afwezig zijn
- de mate en wijze van participatie van de groepsleden aan de groepsdiscussie
- de wijze waarop de groepsleden methodische werkwijzen hanteren
- de mate waarin groepsleden gemeenschappelijk verantwoordelijk zijn voor de gang van zaken in de onderwijsgroep
- de frequentie waarmee geëvalueerd wordt om de voortgang en diepgang van de onderwijsgroep op inhoudelijk en procesmatig niveau te bespreken
- de wijze van optreden van de tutor

Vraag de tutor naar zijn opvatting over zijn taakvervulling en inbreng. Het is belangrijk dat je weet hoe de tutor zijn taak opvat en op welke wijze hij deze in praktijk wil brengen. Schroom niet om nadere toelichting te vragen en kenbaar te maken welke bijdrage jij van je tutor verwacht. Uiteraard kan het dan zo zijn dat de tutor kan opmerken dat hij niet aan je verwachtingen kan voldoen, bijvoorbeeld als je wilt dat de tutor voortdurend aanvullende informatie geeft of mogelijke toetsvragen stelt. Probeer in onderling overleg tot een hanteerbare manier van werken te komen en bespreek na enkele bijeenkomsten of de gevolgde werkwijze tot nuttige leer- en samenwerkingservaringen leidt. Stel zo nodig de gemaakte afspraken bij.

Box 28 laat een voorbeeld zien van de spelregels die een bepaalde onderwijsgroep voor zichzelf geformuleerd heeft.

Box 28 *Mogelijke afspraken die onderwijsgroepsleden onderling kunnen maken*

- Iedereen is zo veel mogelijk aanwezig. Afwezigen stellen zichzelf bij medegroepsleden op de hoogte van wat er in de onderwijsgroepsbijeenkomst besproken is en welke leerdoelen er geformuleerd zijn.
- Iedereen bereidt zich zorgvuldig op de bijeenkomsten voor. Deze voorbereiding gaat verder dan het oppervlakkig bestuderen van de leerstof. Iedereen probeert de nieuwe informatie diepgaand te begrijpen, een overzichtsschema te ontwikkelen, voor zichzelf na te gaan wat niet begrepen wordt en hierover vragen te formuleren. Het beheersen van feitenkennis sec is onvoldoende.
- De communicatie in de groep is meerzijdig en open. Verschillen in opvattingen, ideeën en argumenten zijn belangrijk, conformiteit wordt afgewezen. Groepsleden richten hun aandacht vooral op het vinden van de best mogelijke verklaringen, argumenten of oplossingen van de problemen, en niet op het winnen van argumenten en standpunten.
- De onderwijsgroep slaat geen stappen van het probleemgestuurde leerproces over. Tijdens de analysefase van een probleem moet er geen rem zijn op het inbrengen van verklaringen of oplossingen. Voorlopige, onuitgewerkte gedachten kunnen waardevol zijn voor een verdere analyse van een probleem. Tijdens de nabespreking wordt weinig aandacht besteed aan het herkauwen van de bestudeerde leerstof, veel tijd wordt ingeruimd voor het structureren, toepassen en kritisch verwerken van nieuw verworven informatie. Dit vereist van ieder groepslid een nauwgezette bestudering van de leerstof.
- Groepsleden denken hardop zodat anderen van hun denkprocessen kunnen leren. Groepsleden 'delen' kennis, zij vragen door, structureren informatie, elimineren misconcepties en geven feedback.
- Gemeenschappelijke informatie wordt op het bord genoteerd.
- Ieder groepslid is kritisch ten aanzien van ideeën, meningen en argumenten.
- Groepsleden tonen respect voor de gevoelens en gedachten, normen en waarden van anderen.
- Er wordt van iedereen een actieve luisterhouding verwacht. Dit betekent dat er niet alleen naar de inhoudelijke bijdrage van een groepslid geluisterd wordt, maar dat er ook aandacht is voor de intenties waarmee groepsleden proberen een verklaring of oplossing te geven voor een probleem.
- Iedereen is verantwoordelijk voor de gang van zaken in de onderwijsgroep. Beslissingen worden genomen op basis van discussie. De gespreksleiderschapsrol wordt op een functionele wijze benaderd.
- Regelmatig zijn er evaluaties om de voortgang en diepgang van de onderwijsgroep op inhoudelijk en procesmatig niveau te bespreken. Uit deze evaluaties kunnen afspraken voortvloeien om de werkwijze in de groep bij te stellen. Ieder groepslid probeert zich aan deze afspraken te houden. Tijdens deze evaluaties wordt zowel op groeps- als individueel niveau feedback gegeven.

Spreek duidelijk de volgorde van gespreksleiderschap (en notulist) af. De eenvoudigste oplossing is om de volgorde van de namen op de aanwezigheidslijst, eventueel in omgekeerde volgorde, als uitgangspunt te nemen.
En tot slot: wissel huis- en e-mailadressen en telefoonnummers uit, zodat je elkaar ook inderdaad weet te bereiken. Wanneer je reeds kunt voorzien dat je in het komende blok door persoonlijke omstandigheden minder tijd aan je studie kunt besteden, breng dat dan naar voren, zodat anderen daar zo nodig rekening mee kunnen houden.

Ad 3 Planning
In het algemeen bevat een blokboek aanwijzingen over het tempo waarin problemen aangepakt dienen te worden. Wanneer je de inleiding van een blokboek van tevoren doorleest en alvast een blik op de problemen werpt, zal je je al een beeld kunnen vormen van de zwaarte van de verschillende onderdelen. Probeer met elkaar een voorlopige planning te maken van het tempo waarin problemen zullen worden aangepakt. De tutor kan hierbij vaak behulpzaam zijn. Leg de afspraken die je maakt vast, zodat je na enkele bijeenkomsten kunt nagaan of de planning eventueel bijgesteld dient te worden. Let ook op de aanwijzingen in het blokboek inzake andere activiteiten, zoals practica, excursies en lezingen. Soms moet je je hiervoor apart inschrijven of kan maar een deel van de studenten aan een bepaalde activiteit deelnemen.

In hoofdstuk 3 werd een aantal essentiële leeractiviteiten besproken die betekenisvol leren in en buiten de onderwijsgroep ondersteunen. Bovendien is een ruim aantal gedragingen aan de orde gesteld die een onderwijsgroep verder helpen om zowel op taakniveau als op sociaal-emotioneel niveau goed te kunnen functioneren. Er werd toen opgemerkt dat een aantal taakgerichte gedragingen hier verder zou worden uitgediept.
In de volgende paragrafen komen de volgende onderwerpen aan de orde: actief luisteren, informatie geven en vragen, samenvatten, notuleren, evalueren en feedback geven en ontvangen.

5.3 Actief luisteren

In een onderwijsgroep die werkt aan een bepaald probleem is er, als het goed gaat, steeds één groepslid tegelijk aan het woord; de andere groepsleden luisteren. Ook hier zou kunnen staan: als het goed gaat. Uit het simpele feit dat iemand niets zegt kunnen we immers niet afleiden dat hij luistert!
Luisteren in de context van een gesprek heeft altijd twee kanten, namelijk die van de spreker en die van de luisteraar. Aan beide kanten kunnen oorzaken liggen waarom er onduidelijkheden in een gesprek voorkomen of waarom het moeilijk is elkaar te begrijpen. Een spreker vertelt altijd slechts een selectie van wat hij kan of wil zeggen op basis van zijn persoonlijke kennis en ervaring. Een luisteraar bevindt zich in een soortgelijke situatie: vanuit zijn kennis en ervaring

probeert hij de spreker te volgen, maar ook hierbij wordt informatie geselecteerd. Het gevolg kan zijn dat een luisteraar een spreker verkeerd interpreteert of bepaalde punten niet oppikt uit een betoog.

Luisteren kan ook door andere oorzaken moeilijk zijn. De aandacht van de luisteraar kan verdeeld zijn over verschillende gebeurtenissen om hem heen. Hij kan worden afgeleid door zijn eigen gedachten. Hij kan wegdommelen door gebrek aan aandacht voor wat ter sprake is. Veel luisteraars zijn al druk bezig zelf een antwoord te bedenken voordat een spreker is uitgepraat. Het gevolg daarvan is dat ze de informatie van de spreker slechts gedeeltelijk gehoord hebben en dat hun reactie slechts betrekking heeft op een deel van de opmerkingen. Verder hebben luisteraars vaak de neiging om meer naar details te luisteren, en zich daarover op te winden, dan te letten op de kern van de opmerkingen van de spreker. Sommige luisteraars menen al na enkele opmerkingen helemaal te weten wat een ander gaat zeggen. Ze lopen vooruit op het gedachtespoor van de spreker, interpreteren meer wat de spreker bedoelt te zeggen dan wat hij feitelijk zegt. Hierdoor ontstaat veel ruis in de onderlinge communicatie. Sprekers moeten hun standpunten dan nog eens uitleggen, gaan enigszins geïrriteerd reageren, haken af, luisteren ook weer slecht naar een nieuwe spreker. Kortom er ontstaat veel pseudo-interactie: de groepsleden reageren meer op elkaar vanuit hun eigen leef- en denkwereld dan dat ze proberen zich te verdiepen in de opvattingen en standpunten van anderen. Hun reacties sluiten niet aan op wat tevoren gezegd is. De leereffecten in een onderwijsgroep worden hierdoor ernstig geschaad. Men begrijpt elkaar immers niet of nauwelijks, de communicatie blijft oppervlakkig en de behoefte om geconcentreerd de bijdragen van anderen te volgen vermindert. Actief luisteren naar wat iemand zegt of beoogt te zeggen is van wezenlijk belang voor een goede communicatie en interactie in een onderwijsgroep.

Actief luisteren naar de bijdragen van je groepsgenoten is een middel om communicatieproblemen te voorkomen of te beperken. Je moet daarbij zowel aandacht hebben voor de inhoud als voor de intenties van de spreker. We geven nu enkele tips die kunnen helpen om beter naar elkaars bijdragen in een onderwijsgroep te luisteren.

1 *Luister met je oren en ogen.* Heb regelmatig oogcontact. Je kunt uit de gebaren en gelaatsuitdrukking extra informatie over de bedoelingen van de spreker vergaren of, als spreker, te weten komen of luisteraars je nog kunnen volgen.
2 *Concentreer je op wat de spreker zegt.* Veel mensen hebben de neiging om na enkele zinnen van een betoog al eigen argumenten te gaan verzinnen. Daardoor missen ze een deel van de aangeboden informatie.
3 *Ga na of je de spreker goed begrijpt.* Je kunt dit doen door te zeggen: 'Als ik je goed begrijp, dan bedoel je...', of door een vraag te stellen. De oorspronkelijke spreker krijgt hierdoor de gelegenheid om te bevestigen, te ontkennen of te verduidelijken wat hij eerder bedoeld heeft.
4 *Laat zien dat je luistert.* Een onbewogen pokerface maakt de spreker vaak

zenuwachtig. Reageer bijvoorbeeld met hoofdknikjes, korte verbale uitingen ('Ja, ja' of 'Hm, hm') of een glimlach. Ga niet met een potlood zitten spelen of uit het raam zitten staren.

5 *Let op de opnamecapaciteit van je luisteraars.* Doseer je informatie zowel qua omvang als structuur en helderheid.

5.4 Informatie geven en vragen

Het grootste deel van de tijd die in een onderwijsgroep besteed wordt aan de behandeling van problemen, wordt gevuld met het geven van en het vragen om informatie. Het goed hanteren van informatie in een onderwijsgroep is van belang om de discussie over een probleem in goede banen te houden en om het inzicht in de leerstof te verdiepen. We gaan allereerst in op het belang van een goede informatie-uitwisseling. Vervolgens geven we een aantal aanwijzingen over hoe je in een onderwijsgroep de uitwisseling van informatie kunt verbeteren.

5.4.1 Belang van goede informatie-uitwisseling

Onderwijspsychologen hebben ontdekt dat studenten het beste informatie onthouden wanneer ze actief uitleg vragen of actief uitleg geven over een gestelde vraag. Dat leereffect treedt echter alleen op als de uitleg goed uitgewerkt wordt: uitleg die bestaat uit argumenten, voorbeelden of een beschrijving van de wijze waarop een probleem verklaard of opgelost kan worden, leidt zowel voor degene die de uitleg geeft als voor degene die om uitleg vraagt tot betere leerprestaties. Door de uitleg zo te geven wordt de leerstof namelijk verhelderd en beter begrepen. Degene die uitlegt, ontdekt bijvoorbeeld bepaalde lacunes of onduidelijkheden wanneer hij iets probeert uit te leggen. Dit leidt tot herformulering van wat men wil uitleggen, tot het zoeken naar meer geschikte voorbeelden, tot herziening van inzichten en zo nodig tot herbestudering van bepaalde leerstof. Degene die de uitleg volgt, zal nagaan of hij het uitgelegde begrijpt en of de uitleg aansluit bij de kennis die hij zelf over het onderwerp heeft. Dergelijke elaboratieve denkprocessen leiden tot structurering of herstructurering en verfijning van kennis.

Actief omgaan met de informatie die in de groep aanwezig is, bevordert dus het leren. Dat betekent dat het weinig zinvol is om de uitleg te beperken tot het noemen van een boek waarin je het antwoord kunt vinden. Evenmin is het weinig vruchtbaar om letterlijk uit een boek of aantekeningen voor te lezen. Eis van jezelf en je groepsleden dat de uitleg zo veel mogelijk 'in eigen woorden' gebeurt. Vakterminologie kan natuurlijk niet vermeden worden, maar die moet op een natuurlijke wijze vervlochten worden met je eigen kennis. Natuurlijk mag je wel een schema of enkele steekwoorden op papier als hulpmiddel gebruiken, maar de uitleg moet vanuit jezelf komen.

5.4.2 *Soorten informatie*

Informatie geven en vragen kan betrekking hebben op de talrijke gedragingen die studenten in een onderwijsgroep uitoefenen. Je kunt informatie vragen of geven die betrekking heeft op het taakniveau en het sociaal-emotionele niveau in een groep (kijk nog eens naar box 25). In box 27 hebben we een aantal essentiële leeractiviteiten opgenoemd waarbij informatie geven en vragen een centrale rol speelt.

Informatie geven en vragen zijn dus de twee belangrijkste activiteiten in de besprekingen van een onderwijsgroep. Uit box 25 heb je kunnen opmaken dat beide activiteiten twee vormen kunnen aannemen. De informatie die gegeven wordt kan bestaan uit *feitelijke gegevens*, maar ook uit een *persoonlijke mening* over een bepaald onderwerp. Veelal is het moeilijk uit te maken of de informatie die gegeven wordt *objectief* is, of dat ze een weergave is van de *subjectieve opvatting* die de informatiegever over dat onderwerp heeft. Dat dit zo moeilijk is, komt doordat mensen de neiging hebben hun mening te presenteren alsof het feitelijke informatie is. Vooral in discussies waarbij de persoonlijke betrokkenheid groot is, bijvoorbeeld bij de bespreking van dilemmaproblemen, lopen beide aspecten snel door elkaar. Het vereist daarom een goede luisterhouding om feitelijke gegevens van subjectieve meningen te kunnen scheiden. Wanneer het je niet duidelijk is of iemand zijn persoonlijke mening geeft of objectieve informatie is het verstandig om te informeren waar de informatie die gegeven wordt vandaan komt en of de informatiegever niet objectieve gegevens geïnterpreteerd heeft. Je voorkomt daarmee dat je de meningsvorming van een groepslid over feitelijke informatie gaat onthouden als objectieve informatie. Hierdoor kan je kennis van een bepaald stuk leerstof onvolledige of onjuiste informatie bevatten.

5.4.3 *Het geven van informatie*

Enige richtlijnen voor het verstrekken van informatie zijn:

1 Probeer aan te sluiten op de gedachtewereld, het referentiekader, van je toehoorders.
2 Druk je helder uit. Slecht geformuleerde zinnen en een saaie spreekwijze maken het de toehoorders moeilijk om aandachtig te blijven luisteren. Orden je verhaal in hoofd- en bijzaken. Hou rekening met de opnamecapaciteit van je toehoorders door niet te veel informatie in één zin onder te brengen of door verschillende ideeën, zonder samenhang, tegelijk aan de orde te stellen.
3 Overweeg of visuele ondersteuning (op een bord) de informatie kan verhelderen.
4 Kijk tijdens het spreken je medegroepsleden regelmatig aan en probeer van hun gezicht af te lezen of ze je nog kunnen volgen.
5 Geef duidelijk aan wanneer je je persoonlijke interpretatie geeft (eigen mening) van bijvoorbeeld een bestudeerde tekst of dat je deze tekst zo objectief mogelijk samenvat. Geef duidelijk de bronnen aan waarop je je baseert.
6 Vat de hoofdlijn van je betoog samen.
7 Geef de andere groepsleden de gelegenheid vragen te stellen.

Deze richtlijnen zijn niet gemakkelijk een-twee-drie uit te voeren. Enige oefening kan je helpen. Probeer bijvoorbeeld, wanneer je teksten bestudeerd hebt naar aanleiding van een leerdoel, eens na te denken over de wijze waarop je deze informatie het beste zou kunnen overdragen. Maak aantekeningen, diagrammen, tabellen en schema's, zoek naar voorbeelden en bedenk (kritische) vragen die de groepsleden zouden kunnen stellen. Probeer vervolgens voor jezelf het geleerde eens uit te leggen in eigen woorden.

5.4.4 Het vragen van informatie

De keerzijde van het geven van informatie is het *vragen* om informatie. Het stellen van goede vragen opent in een discussie vaak perspectieven waar die tevoren niet waren. In dat kader is het onderscheid tussen *open* en *gesloten vragen* van belang. Open vragen, vragen waarop het antwoord in principe niet voorspelbaar is, nodigen uit tot verdere uitdieping van een gespreksonderwerp. Open vragen stimuleren tot elaboraties, bewerkingen van de leerstof. De antwoordgever wordt door een open vraag eerder gestimuleerd informatie te concretiseren, te structureren of toe te passen. Door te elaboreren wordt de informatie verrijkt aangeboden, waardoor het onthouden van de informatie vergemakkelijkt wordt. Gesloten vragen bevatten altijd een of meer antwoorden waaruit de antwoordgever gedwongen wordt te kiezen. Dat kan 'ja' of 'nee' zijn of een beperkt aantal antwoordcategorieën. Gesloten vragen zijn niet zo geschikt om diepgaand inzicht te krijgen in een onderwerp. De interactie kan al gauw het karakter krijgen van een vraag-en-antwoordspel. Gesloten vragen zijn wel een goed middel om na te gaan of je eerder gegeven informatie juist geïnterpreteerd hebt. 'Als ik je goed begrijp dan beweer je...' of 'Is het correct wanneer ik concludeer dat...?' In een onderwijsgroep zijn beide soorten vragen van belang om de discussie levendig, gestructureerd en concreet te laten verlopen. Open vragen horen echter de overhand te hebben, aangezien ze leiden tot een diepgaande uitwerking van de leerstof.

Net als bij informatie geven kunnen we bij informatie vragen een aantal spelregels omschrijven die het stellen van vragen in een onderwijsgroep vergemakkelijken. Veel van deze regels worden al van nature min of meer gevolgd. Niettemin is het verstandig soms eens stil te staan bij de wijze waarop de groepsleden aan elkaar vragen stellen om na te gaan of dit op een doelmatige wijze gebeurt. Daarbij kun je op de volgende aspecten letten:

- *Sluiten je vragen aan bij het gespreksonderwerp?* Net zoals bij het geven van informatie kunnen vragen ertoe leiden dat er wordt afgedwaald van het eigenlijke gespreksonderwerp.
- *Zijn je vragen kort en helder geformuleerd?* Maak geen ingewikkelde zinnen die de aangesprokene afleiden van de eigenlijke vraag.
- *Zijn je vragen ondubbelzinnig geformuleerd?* De meest voorkomende fout tegen deze spelregel is dat er twee of meer vragen tegelijkertijd worden gesteld. Dit kan voortkomen uit een slordige formulering of uit de behoefte van de vragensteller om zo veel mogelijk tegelijkertijd aan de orde te stellen.

Degene die antwoord wil of moet geven, weet dan vaak niet op welke vragen en in welke volgorde hij moet antwoorden. Ook is hij vaak niet in staat om alle vragen te onthouden of vervormt hij (on)opzettelijk het antwoord in een voor hem gunstige richting.

- *Zijn je vragen als vraag herkenbaar?* Sommige mensen verbergen hun mening in de vragen die zij over iets stellen. Het is voor de gesprekspartners dan onduidelijk of iemand een bijdrage levert aan het gespreksthema of dat hij wil weten wat anderen ervan vinden. Duidelijke vragen beginnen met een vraagwoord: wie, wat, waarom, welke, hoe. Een dergelijk vraagwoord attendeert anderen erop dat er een vraag op komst is.

5.5 Samenvatten

Onderwijsgroepen kenmerken zich bij het werken aan problemen door een levendige uitwisseling van feiten en meningen. Beweringen, veronderstellingen, argumenten en interpretaties buitelen over en door elkaar tijdens de analyse- en synthesefase. Veel groepsleden kunnen bij tijd en wijlen 'de bomen niet meer van het bos onderscheiden'. Het is moeilijk om veel informatie tegelijkertijd op te nemen of om zaken uit elkaar te houden, vooral wanneer een nieuw onderwerp aan de orde is. Het menselijk geheugen kan slechts een bepaalde hoeveelheid informatie-eenheden gelijktijdig aan (7 plus of minus 2). Wanneer die hoeveelheid informatie-eenheden overschreden worden, hebben mensen het moeilijk om die informatie te onthouden.
Informatie wordt goed in het geheugen opgenomen als de samenhang en betekenis van die informatie duidelijk is. De leden van een onderwijsgroep hebben dan ook regelmatig behoefte aan enige ordening. Samenvatten is een gesprekstechniek die ordening in de veelheid van feiten, meningen en standpunten kan brengen. Tijdens een samenvatting kunnen kernbegrippen uit een discussie gemarkeerd en hoofd- en bijzaken expliciet onderscheiden worden. Samenvatten van informatie is een belangrijk middel om structuur en voortgang in de bespreking te houden.
Een *samenvatting* is een beknopte weergave van een discussie of een gedeelte van een discussie. Ze bevat in het kort zo accuraat mogelijk de feiten en ideeën die, in de direct eraan voorafgaande discussie, door de groepsleden naar voren zijn gebracht. Naast deze ordenende, structurerende functie hebben samenvattingen nog meer gunstige effecten op de discussie en het leren van de groepsleden.

- Samenvattingen dwingen de groepsleden nog eens (in stilte, voor zichzelf) te reconstrueren wat er allemaal gezegd is en na te denken of de samenhang die door degene die samenvat gegeven wordt, de juiste is. Door zo'n reflectief moment kunnen de leden van een onderwijsgroep gemakkelijker onduidelijkheden en leemtes in verklaringen of oplossingen ontdekken die anders vaak niet opgemerkt worden. Onduidelijkheden in een samenvatting geven dan ook veelal aanleiding tot verdere discussie of doorvragen.
- Samenvattingen dwingen de groepsleden tot geconcentreerd luisteren en

zich te realiseren wat de samenvatter zegt. Door samenvattingen wordt de lijn in de discussie bewaakt. Hierdoor kan gemakkelijker ontdekt worden dat groepsleden of de groep in z'n totaliteit afdwaalt.

- Een samenvatting van het voorafgaande vormt vaak een gemakkelijke inleiding tot een vervolgvraag en maakt ook vaak de betekenis van die vraag duidelijk.
- Vragen om het voorgaande kort te mogen samenvatten kan een niet bruuskerende manier zijn om een groepslid dat maar door blijft praten, te onderbreken.
- Samenvattingen maken het gemakkelijker om, na een storing in de discussie, op een natuurlijke wijze verder te gaan met de discussie.
- Een samenvatting is een goed middel om een deelonderwerp af te ronden. Wanneer deelnemers aan het gesprek een aantal punten naar voren hebben gebracht en in herhalingen dreigen te vervallen, dan is een samenvatting een goede manier om tussentijds de balans op te maken.
- Een samenvatting is op haar plaats wanneer de aandacht van de groepsleden vermindert.
- Een samenvatting kan de groep over een dood punt helpen en afhakers de gelegenheid geven weer bij het werken aan het probleem betrokken te raken.
- Een samenvatting vormt vaak een natuurlijke afsluiting van een gedeelte van de discussie of zelfs van de gehele discussie als zodanig.

Samenvattingen zijn dus zinvolle 'ingrepen' in een discussie. Ze moeten met een zekere regelmaat in het groepsgesprek aan de orde komen. Ondanks het feit dat samenvattingen als een soort smeerolie in een discussie kunnen functioneren, moet men er echter ook voor waken dat niet te vaak samengevat wordt. Bij overdrijving kunnen samenvattingen heel vervelend en vertragend werken. Een samenvatting levert dan geen functionele bijdrage meer aan het gesprek, maar wordt door de groepsleden als disfunctioneel (bijvoorbeeld afleidend, onnodig herhalend) beschouwd.

Er bestaan geen vaste spelregels voor het moment waarop in een onderwijsgroep samengevat moet worden. Zo'n moment is in sterke mate afhankelijk van de moeilijkheidsgraad van de informatie die ter tafel komt, de hoeveelheid informatie die aan de orde komt of de fysieke gesteldheid van de groepsleden. Indien er bijvoorbeeld door vermoeidheid concentratieverlies optreedt, moet er meer samengevat worden. Een samenvatting is in ieder geval op zijn plaats wanneer een deelonderwerp afgehandeld is.

Ook kan niet met eenduidigheid gezegd worden wie moet samenvatten: de gespreksleider of een groepslid. In het algemeen kan gesteld worden dat het belangrijker is dát er wordt samengevat dan dat deze bijdrage specifiek aan de gespreksleider of de groepsleden wordt toegewezen. Het meest natuurlijke is wanneer de leden van een onderwijsgroep, waarvan de gespreksleider ook deel uitmaakt, op daartoe geëigende momenten samenvatten. Soms kan of moet dat door de gespreksleider gebeuren, soms door een groepslid.

We laten een aantal tips volgen met betrekking tot het geven van samenvattingen.

1 *Laat aan de andere groepsleden merken dat je een samenvatting wilt geven.* Begin daarom met zinnetjes als: 'Als ik de discussie nu probeer samen te vatten, dan...'; 'Samengevat: ...'; 'Laten we eens bekijken wat we tot nu toe besproken hebben: ...'.
2 *Concentreer je op kerngedachten.* Een samenvatting moet kort zijn, maar wel de belangrijkste bijdragen van iedere deelnemer aan het gesprek bevatten.
3 *Vermijd nieuwe informatie of vragen in je samenvatting.*
4 *Maak bij het samenvatten eventueel gebruik van het bord.* Leg daarop de ter zake doende bevindingen kort en kernachtig vast, bij voorkeur met steekwoorden. Omgekeerd kan natuurlijk ook informatie die al op een bord genoteerd is, gebruikt worden om een samenvatting te geven.

5.6 Notuleren

Tijdens de bespreking van problemen uit een blokboek maakt ieder groepslid waarschijnlijk voor zichzelf aantekeningen van de onderwerpen die besproken worden. Niettemin is het vaak handig om gemeenschappelijke informatie te visualiseren. Ieder groepslid ziet dan waarover gesproken wordt, herhalingen van ideeën kunnen gemakkelijker vermeden worden en een schematische weergave van een onderwerp kan in onderlinge samenspraak uitgebouwd of aangepast worden.
Wanneer een groepslid de voortgang van de bespreking van de onderwijsgroep op een bord bijhoudt, vervult dit groepslid de rol van notulist. Een notulist maakt aantekeningen van de verschillende ideeën die de studenten tijdens de analysefase naar voren brengen en van de leerdoelen die tijdens de onderlinge discussie geopperd worden.
Om de bespreking van een probleem zichtbaar vorm te geven kan een (groot) bord in een onderwijsgroepsruimte het beste in vier vlakken verdeeld worden. In het meest linkse vlak kunnen de probleemstellingen genoteerd worden die de onderwijsgroep na lezing van het probleem meent op te merken. In het vlak daarnaast kunnen in kernwoorden de ideeën opgeschreven worden die voortkomen uit de eerste analyse van het probleem. In het vlak daarnaast, het grootste deel van het bord, kan de notulist de verdere uitdieping van deze ideeën opschrijven. Hier komen schema's, beschrijvingen van processen of structuren te staan. Op het meest rechtse vlak noteert de notulist, steekwoordsgewijs, vragen die studenten aan elkaar stellen die niet door hen beantwoord kunnen worden, eventuele controverses van inzicht en onduidelijkheden waarop de onderwijsgroepsleden op basis van hun voorkennis geen antwoord kunnen geven. Deze vragen, meningsverschillen en onduidelijkheden leiden uiteindelijk tot het formuleren van leerdoelen, de vraagstellingen die de leden van de onderwijsgroep als startpunt nemen voor hun zorgvuldige bestudering van de leerstof. Uiteindelijk worden deze in steekwoorden geformuleerde onduidelijkheden getransformeerd tot de leerdoelen die gemeenschappelijk moeten worden uitgezocht. Deze leerdoelen worden ook in dit vierde en laatste vlak uitgeschreven.

Figuur 5.1 geeft een voorbeeld van een dergelijke wijze van bordgebruik tijdens de fase van voorbespreking.

Figuur 5.1 *Voorbeeld van bordgebruik tijdens de fase van voorbespreking*

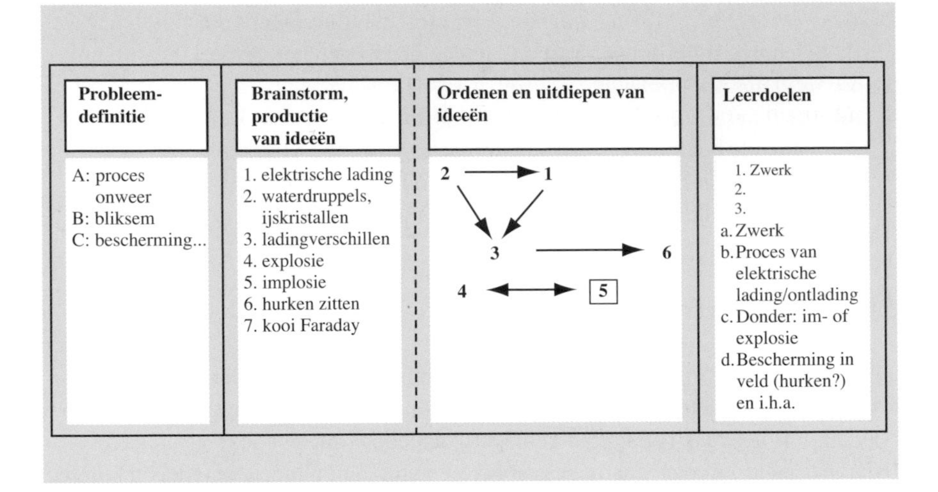

Door op deze wijze gebruik te maken van het bord wordt op een systematische wijze alle informatie vastgelegd. Door de inbreng van de groepsleden vast te leggen, zien ze dat aan hun opmerkingen aandacht wordt geschonken en dat hun bijdragen niet verloren gaan. Voor de groepsleden wordt gevisualiseerd wat besproken wordt, samenvattingen kunnen makkelijker gegeven worden, afspraken worden eenduidiger en de groepsleden hebben minder snel de neiging om in herhalingen te vervallen, omdat zichtbaar is wat besproken is.

Uiteraard is deze vorm van notuleren op het bord van het meest linkse vlak naar het meest rechtse vlak geen lineair proces. Wanneer leden van de onderwijsgroep teruggrijpen naar eerdere fasen in de bespreking van het probleem, moet de notulist in het betreffende gebied nieuwe notities maken. Ook kan het voorkomen dat al in de eerste fase van bespreking van een probleem bepaalde termen in de probleembeschrijving staan die de studenten niet helemaal helder zijn. In dat geval zal de notulist al direct in het meest rechtse vlak hierover enkele aantekeningen maken, zodat de leden van de onderwijsgroep later in de fase van leerdoelformulering deze minder begrepen begrippen mee kunnen nemen in hun formulering van de leerdoelen. Het gebruik van het bord is, net als bij de bespreking van de verschillende stappen van de zevensprong, een cyclisch proces. Studenten kunnen voor- en achteruit schakelen wanneer dat nodig is.

Tijdens de nabespreking kan het bord en de notulist ook een nuttige functie vervullen. Hij kan dan de resultaten van de zelfstudie van de groepsleden met behulp van schema's, procesbeschrijvingen of structuurnetwerken in kaart brengen.

Om als notulist goed te functioneren zal een onderwijsgroepslid aan de volgende activiteiten aandacht moeten besteden:

- oppakken van belangrijke informatie uit de discussie die in de groep aan de orde is
- beknopt kunnen weergeven van die informatie op het bord, bijvoorbeeld door trefwoorden, gangbare afkortingen en symbolen te gebruiken
- snel en leesbaar informatie weergeven op het bord
- informatie kunnen ordenen en schematiseren
- informatie kunnen selecteren; objectieve informatie kunnen onderscheiden van persoonlijke meningen van groepsleden
- actief kunnen luisteren naar de discussie en zo nodig vragen kunnen stellen om verheldering of controle van juistheid van het genotuleerde
- kunnen visualiseren van onduidelijkheden over de leerstof
- vastleggen van gemaakte afspraken, bijvoorbeeld leerdoelen

Voor de rol van notulist geldt dat zijn ondersteunende activiteiten voor het leren van de groepsleden niet aan een specifiek groepslid gebonden is. Een functionele benadering van de rol van notulist is daarom geboden. Wanneer een groepslid tijdens de analyse- of synthesefase een aardig schema heeft, is het wenselijk dat deze student uitgenodigd wordt zijn schema op het bord uit te werken. Eventuele aanpassingen, veranderingen door andere groepsleden kunnen dan natuurlijk ook plaatsvinden. Er is niets op tegen wanneer drie of vier groepsleden op het bord elkaar hun schematische weergave (bv. een concept map) van de leerstof verduidelijken.

In sommige opleidingen wordt elektronisch genotuleerd. In een onderwijsgroepsruimte staat dan een computer, een beamer en een projectiescherm. De notulist maakt tijdens de bespreking aantekeningen die direct via de beamer op het projectiescherm worden geprojecteerd. Veranderingen kunnen direct doorgevoerd worden. Na afloop stuurt de notulist de aantekeningen en de leerdoelen per e-mail naar alle groepsleden. Tijdens de nabespreking kunnen concept maps die de groepsleden gemaakt hebben meteen op het scherm geprojecteerd en bediscussieerd worden.
In de nabije toekomst zullen interactieve digitale borden de voordelen van het traditionele bord (een grotere flexibiliteit om te visualiseren) en de computer (snellere onderlinge communicatie) benut kunnen worden voor een effectieve en efficiënte analyse en synthese van een probleem.

5.7 Evalueren

Het is verstandig om in een onderwijsgroep regelmatig aandacht te schenken aan wat er tot dan toe bereikt is. Dit terugblikken op wat de groep gedaan heeft en op de manier waarop zij inhoudelijk en procesmatig voortgang boekt, wordt *evalueren* genoemd. Een evaluatie is een moment in de groepsdiscussie waarop

de groepsleden en de tutor zich bezinnen of de groepsdoeleinden nog wel bereikt (kunnen) worden. De groepsleden en de tutor analyseren wat goed en minder goed gegaan is, proberen oorzaken van knelpunten op te sporen en afspraken te maken over hoe het in de toekomst beter kan gaan. Uiteraard worden er afspraken gemaakt over de nieuwe wijze van werken. Deze afspraken bieden de basis voor de eerstvolgende evaluatie.
Een evaluatie geeft richting aan het leer- en samenwerkingsproces en biedt de groepsleden de gelegenheid om te vertellen wat op ieders maag ligt.
Willen evaluaties vruchtbaar zijn, dan moet aan de volgende *vereisten* voldaan worden:

- Er moet een duidelijk onderwerp zijn waarover geëvalueerd wordt.
- Ieder groepslid dient de kans te krijgen om zijn mening te geven.
- Er moeten duidelijke beslissingen tot handhaving of wijziging van afspraken, gedrag of regels uit voortvloeien.
- Indien er wordt afgesproken iets te veranderen, moeten de effecten van deze wijziging bij een volgende evaluatie besproken worden.

Wanneer een onderwijsgroep besluit haar voortgang te evalueren, moet er een duidelijk onderwerp zijn. Vage, evaluerend bedoelde vragen als 'Hoe vonden jullie het gaan vandaag?' leiden tot onduidelijke reacties. De groepsleden weten immers niet of nauwelijks waarop zij moeten reageren: de inhoudelijke verwerking van de leerstof? De interactie? Het gespreksleiderschap? Die onduidelijkheid leidt er nogal eens toe dat weinigen zich aangesproken voelen om iets te zeggen. Terwijl sommige groepsleden de boekentas al weer inpakken, zijn er enkele groepsleden die bepalen hoe het 'vandaag ging'. Soms leidt zo'n vage openingsvraag juist tot verwarring: ieder groepslid begint over een ander onderwerp en het is dan meestal onmogelijk om binnen een beperkte tijd tot conclusies te komen. Dat werkt frustratie in de hand, die van invloed kan zijn op de participatie in komende groepsbijeenkomsten. Het selecteren van een of twee onderwerpen geeft de mogelijkheid om een betere indruk te krijgen van de meningen die in de groep leven. De groepsleden kunnen dan op elkaars ideeën of problemen reageren en kunnen op basis van het gesprek afspraken tot verbetering maken.
Wanneer een onderwijsgroep de inhoudelijke voortgang tot onderwerp van haar evaluatie maakt, gaat het over de vraag in hoeverre zij erin slaagt de doelstellingen van het blok en de eigen leerdoelen te bereiken. De groep onderzoekt dan in hoeverre het resultaat van haar besprekingen aan de gestelde doelen voldoet. Is de informatie die ter tafel komt zinvol ten aanzien van wat je wilde leren? Wordt er voldoende hard gestudeerd? Kan iedereen de relevante leerstof vinden? Zijn de kwaliteit en de kwantiteit van het geleerde van een bevredigend niveau? Slaagt de groep erin voldoende diepgang in de leerstof te bereiken, wordt de leerstof bijvoorbeeld geconcretiseerd, gestructureerd of gerelateerd? Hebben de bijeenkomsten van de onderwijsgroep een meerwaarde en wat is die meerwaarde dan, bijvoorbeeld kritische beoordeling en toepassing van de nieuwe informatie? Een

dergelijke terugblik kan betrekking hebben op de nabespreking naar aanleiding van de leerdoelen in een bijeenkomst of op de uitwerking van een subthema uit het blokboek. Aan de hand van een *productevaluatie* kunnen vervolgens beslissingen genomen worden omtrent de verdere inhoudelijke productiviteit en doelstellingen van de groep.

Behalve de inhoudelijke voortgang van de groep kunnen onderwijsgroepen ook de wijze waarop zij samenwerken bespreken. Bij een *procesevaluatie* kunnen verschillende invalshoeken in ogenschouw genomen worden. Zo kan bekeken worden of de groep de problemen uit het blokboek wel op een methodische wijze behandelt, of ze het werk adequaat verdeelt en of de planning op kortere en langere termijn haalbaar is. Hierbij gaat het vooral om de *procedurele kant* van de samenwerking. Daarnaast kan besproken worden hoe de individuele bijdragen zijn van de groepsleden, hoe de participatie en sfeer in de groep is, of de bijdragen van de groepsleden, gespreksleider en tutor bevorderlijk zijn voor het ontwikkelen van een open en constructief klimaat in de groep. Nu gaat het vooral om de *interactionele kant* van de samenwerking.

In hoofdstuk 3 hebben we aandacht besteed aan cultuurverschillen in onderwijsgroepen. We hebben daar beschreven dat diverse principes verankerd in verschillende samenlevingen bijdragen aan de wijze waarop mensen verschillend aankijken tegen macht, de wijze waarop met onzekerheid wordt omgegaan, de invloed van individualistische of collectivistische waarden en normen en het belang van succes, materiële prestaties of ambities versus de kwaliteit van leven, interpersoonlijke betrekkingen en gelijke behandeling van mannen en vrouwen. We hebben in dat hoofdstuk een aantal voorbeelden gegeven van botsingen in onderwijsgroepen die voort kunnen komen uit de samenstelling van een onderwijsgroep. Wanneer in een onderwijsgroep mensen zitten met sterk van elkaar verschillende culturele achtergronden, wordt van de groepsleden een bepaalde gevoeligheid verwacht om de invloed van deze factoren op de onderlinge samenwerking te onderkennen. Tijdens een evaluatie zullen de groepsleden deze factoren in ogenschouw moeten nemen en moeten afspreken hoe ze eventuele belemmeringen kunnen hanteren, zodat onderlinge verwachtingen duidelijk en hanteerbaar worden.

Het is belangrijk om ook de tutor in de gelegenheid te stellen om zijn mening te geven. De tutor hoeft als docent niet in de onderwijsgroep te werken zoals de andere groepsleden. Hij kan daardoor meer aandacht schenken aan het observeren van de werkwijze van de groep. Op basis daarvan kan hij suggesties doen om de voortgang van de onderwijsgroep te bevorderen.

Wanneer een onderwijsgroep beslist om haar werkwijze en voortgang te evalueren, kan volgens de volgende procedure gewerkt worden:

1 Stel eerst het onderwerp vast waarover geëvalueerd wordt (productevaluatie: inhoudelijke voortgang; procesevaluatie: procedurele of interactionele werkwijze).
2 Geef iedereen even de gelegenheid over dit onderwerp na te denken en, in steekwoorden, notities te maken over zijn ervaringen met dat onderwerp.
3 Laat alle groepsleden hun mening geven.

4 Vraag de tutor om zijn observaties en mening.
5 Probeer gezamenlijk de positieve en negatieve aspecten te ordenen die naar voren komen.
6 Zoek samen naar mogelijke verbeteringen en maak afspraken over wijzigingen in gedrag.
7 Rond de evaluatie af met een afspraak wanneer op dit onderwerp teruggekomen wordt om te bekijken of de voorgenomen wijzigingen daadwerkelijk tot verbetering hebben geleid.

Soms is het handig om de evaluatie te beginnen met het invullen van een korte vragenlijst door ieder groepslid. Op die manier kan ieder zijn mening vastleggen zonder daarbij door de mening van anderen te worden beïnvloed. De resultaten kunnen daarna op het bord geturfd worden en vervolgens worden besproken.
Aan het eind van dit hoofdstuk tref je een aantal korte vragenlijsten aan die je behulpzaam kunnen zijn om op deze wijze de voortgang van de onderwijsgroep te bespreken. Uiteraard is het mogelijk om zelf vragen aan deze vragenlijstjes toe te voegen.
Er zijn geen vaste regels te geven over het moment waarop een onderwijsgroep moet evalueren. Dat is sterk afhankelijk van de voortgang die de groep boekt en de behoefte aan evaluatie van de groepsleden. Gedurende het eerste blok waarin je kennismaakt met probleemgestuurd onderwijs, is het aanbevelenswaardig om aan het eind van iedere bijeenkomst te evalueren. Daarna zal het in het algemeen zinvol zijn na drie of vier bijeenkomsten een pas op de plaats te maken. Ook kan de groep afspreken tussentijds een korte evaluatie te houden, wanneer een groepslid problemen heeft met de inhoudelijke of procesmatige voortgang. Een dergelijke 'time-out' kan het beste vlak voor of na de pauze tijdens een bijeenkomst geagendeerd worden.

5.8 Feedback geven en ontvangen

Als je in een onderwijsgroep evalueert hoe er gewerkt is, zal je ongetwijfeld ook wel eens iets willen zeggen over de wijze waarop medegroepsleden gefunctioneerd hebben. Sommige groepsleden hebben bijvoorbeeld (non-)verbaal gedrag laten zien dat je moeilijk kunt interpreteren, maar dat wel een storend effect heeft gehad op jouw deelname. Andere groepsleden hebben zich een bepaald gedragspatroon 'aangemeten' dat je weinig effectief vindt voor een doelmatige en doelgerichte bespreking van de problemen.
Als we medegroepsleden iets willen zeggen over hun gedrag, dan noemen we dit (interpersoonlijke) feedback. *Feedback* is een *mededeling* aan iemand die informatie bevat over hoe *zijn gedrag wordt waargenomen, begrepen en ervaren.*
Feedback geven en ontvangen tijdens de evaluatie in een onderwijsgroep kan ertoe bijdragen dat de groepsleden zich er meer van bewust worden hoe ze zich gedragen en welk effect dit gedrag heeft op andere groepsleden en de onderlinge samenwerking. Misverstanden die de onderlinge samenwerking in de weg staan,

kunnen erdoor worden opgeruimd, de interactieruimte tussen de groepsleden wordt erdoor vergroot.

5.8.1 Belang van feedback

Twee wetenschappers Joe Luft en Harry Ingham ontwikkelden een model om het nut van interpersoonlijke feedback te verhelderen, het zogenaamde 'Johari-venster', genoemd naar beider voornamen. Het model bevat vier kwadranten. Binnen de interactieruimte die je deelt met anderen kunnen vier gebieden onderscheiden worden: het publieke gebied, het blinde gebied, het verborgen gebied en het onbekende gebied (zie figuur 5.2).

Figuur 5.2 *Het Johari-venster*

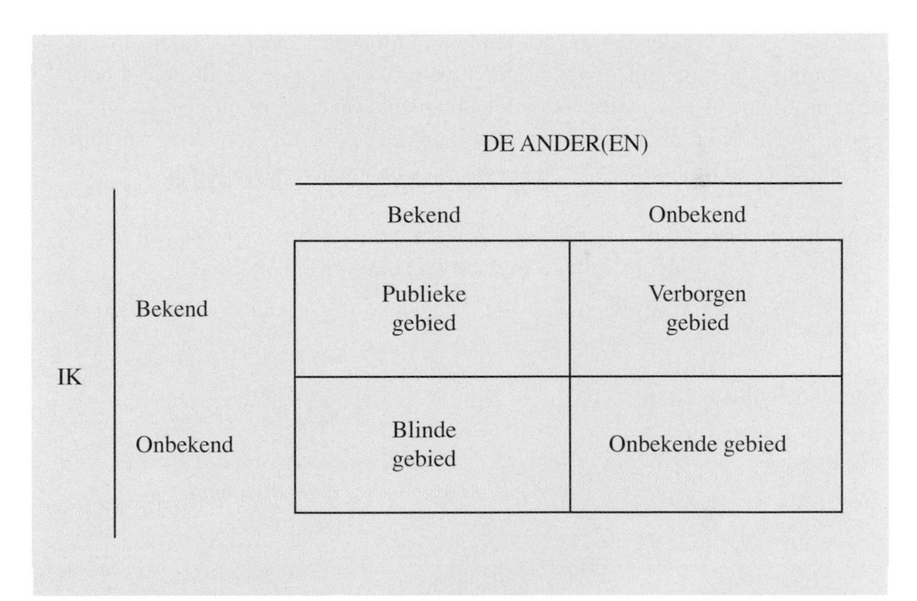

Het *publieke gebied* is het kwadrant waarbinnen mijn gedrag zichtbaar is voor mezelf en anderen. Zowel ikzelf als de anderen zijn er zich bewust van. Om een voorbeeld te geven: Ik heb de neiging om anderen snel te interrumperen tijdens een groepsdiscussie. Zowel ikzelf als de anderen weten dat (na een tijdje). Opmerkingen van groepsleden als 'Wees eens even rustig, laat me eens uitpraten', worden zowel door mij als de anderen waargenomen.
Er is echter binnen de interactieruimte ook een gebied, *het blinde gebied*, waarbinnen mijn gedrag door mijzelf niet waargenomen wordt, maar door anderen wel. Natuurlijk kan ik over dit gebied niets zeggen, om de eenvoudige reden dat ik me niet bewust ben van de gedragingen die ik binnen dit gebied doe. Ik kan me er pas bewust van worden, wanneer anderen me erop opmerkzaam maken door het me te vertellen. (Het volgende fictieve voorbeeld laat gedrag zien dat tot dit gebied behoort: Wanneer ik anderen interrumpeer, buig ik mij naar voren,

maak me als het ware groter en wijs doelgericht met mijn wijsvinger naar een ander. De klank en toonhoogte van mijn stem verandert enigszins, ze wordt dwingender.) Andere groepsleden kunnen dit gedrag observeren en ervaren; ik ben er me zelf niet bewust van dat ik me zo gedraag. Mijn gedrag zal echter een bepaald effect op de andere groepsleden hebben.
Het derde gebied, *het verborgen gebied,* betreft gedrag waarvan ik me wel bewust ben, maar dat de anderen niet weten. Ik ben bijvoorbeeld erg bang om voor een 'softie' versleten te worden. Ik heb de behoefte om steeds een vent te zijn, duidelijk voor mijn standpunten op te komen, niets uit de weg te gaan.
Het vierde kwadrant wordt *het onbekende gebied* genoemd. Hier spelen zich gedragingen af die zowel voor mijzelf als voor anderen niet bekend zijn. Het is het gebied van het on(der)bewuste. We kunnen er niets over zeggen, omdat we het niet kennen. (Maar, weer ter illustratie: stel je voor dat ik thuis ben opgevoed door ouders die vonden dat je voor je mening uit moest komen. Tijdens discussies aan tafel met de andere gezinsleden werd ik als jongste steeds gepest door mijn broer en zusjes wanneer ik over een bepaald onderwerp mijn standpunt naar voren bracht. Mijn ouders moedigden mij echter op overdreven wijze aan thuis, op school en in mijn vriendenkring 'niet over me heen te laten lopen'.)

Waar het nu om gaat bij intermenselijke interacties is het *vergroten van het publieke gebied.* Volgens Luft en Ingham kan dat op twee manieren:
1 door feedback te geven en te krijgen
2 door openheid

Figuur 5.3 illustreert dit.

Figuur 5.3 *Het Johari-venster; het publieke gebied wordt vergroot door feedback geven en ontvangen, en door openheid*

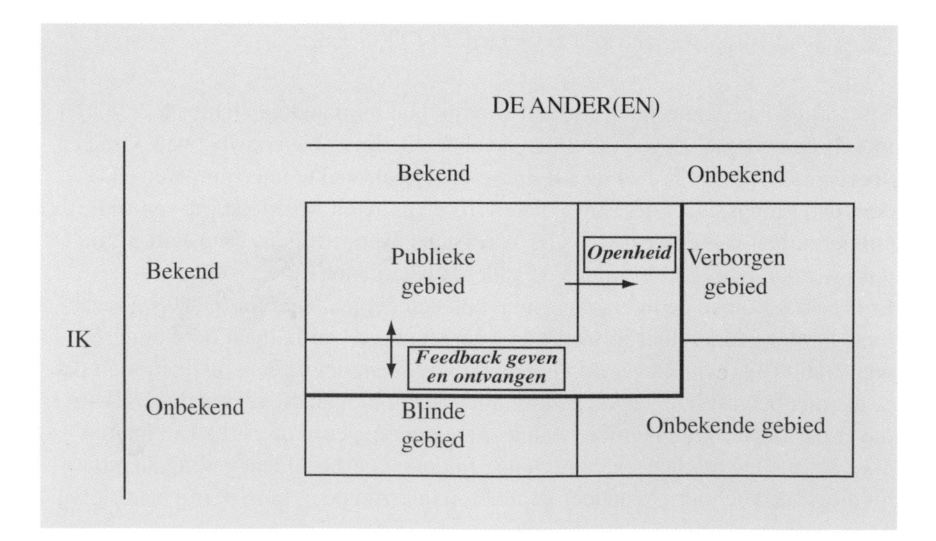

Ad 1 Vergroten van het publieke gebied door het geven en krijgen van feedback

Als ik andere groepsleden vraag om feedback en de andere groepsleden zijn bereid om die te geven, dan leer ik mezelf en leren we elkaar beter kennen. Het kwadrant van het blinde gebied wordt er kleiner door. Kijken we nog eens terug naar ons fictieve voorbeeld over de wijze waarop ik anderen onderbreek. Wanneer ik bereid ben om eens aan anderen te vragen 'hoe ik overkom', kom ik te weten welk gedrag ik vertoon en welk effect dat op de anderen heeft. Ik leer dat sommige groepsleden de discussie met mij ontwijken, ik leer dat andere groepsleden geprikkeld raken, ik leer dat sommige groepsleden denken 'laat maar kletsen', en ik leer dat sommige groepsleden uitgedaagd worden door mijn gedrag. Ik kan me nu afvragen wat ik eigenlijk beoog tijdens een groepsdiscussie. Wil ik steeds mijn zin doordrijven? Wil ik dat mijn opmerkingen en ideeën iets bijdragen aan het verder verdiepen van de probleemanalyse of het beter integreren van de nieuwe leerstof? Wil ik mijn kennis met anderen delen en samen iets opbouwen? Wil ik dat mijn bijdragen, in de soms moeizame worsteling om nieuwe leerstof onder de knie te krijgen, niet verloren gaan? De feedback van de andere groepsleden en hun openheid over het effect van mijn gedrag op hen, kan ik gebruiken als 'input' om over mijn gedrag na te denken en te bepalen of en hoe, en in welke mate, ik mijn gedrag wil veranderen. Feedback geven en krijgen biedt je dus de mogelijkheid om na te denken over je gedrag in interpersoonlijke situaties en om te bepalen wat je ermee wilt doen. Tevens vergroot het de interactieruimte die ik deel met anderen, het publieke gebied.

Ad 2 Vergroten van het publieke gebied door openheid

Een tweede manier om dit gebied te vergroten is door openheid. Ik kan andere groepsleden iets vertellen over de zaken die ik tot dat moment verborgen heb gehouden. In lijn met het voorbeeld van hierboven: naar verloop van tijd zou ik mijn groepsleden kunnen vertellen dat ik er een hekel aan heb om, tijdens groepsdiscussies, als een 'softie' beschouwd te worden. Dat ik me steeds als het ware wapen om er tegenaan te gaan. Door openheid verkleint het verborgen gebied. Ook de informatie van anderen, namelijk hoe zij mijn gedrag ervaren en welk effect dat op hen heeft, is een voorbeeld van wederzijdse openheid. Openheid, echter, houdt niet in dat je blindelings steeds al je motieven op tafel moet gooien. Je moet erop kunnen vertrouwen dat de anderen geen gebruik of misbruik van je informatie maken. Er moet dus een vertrouwensbasis in de groep groeien. Openheid en vertrouwen gaan hand in hand, het zijn delicate interpersoonlijke processen. Doseren van informatie, afhankelijk van de vraag of wat je vertelt functioneel is voor de communicatie in de onderwijsgroep, is dus nodig. Wat je kwijt wilt, moet bijdragen aan het vergroten van de samenwerking.
In figuur 5.3 zie je dat ook het onbekende gebied enigermate kleiner wordt door openheid en feedback geven en krijgen. Wanneer mensen openheid tonen en elkaar op een eerlijke en constructieve wijze feedback geven, krijgen mensen meer inzicht in zichzelf. Daardoor gaan ze meer van de oorzaken van hun gedrag begrijpen. Wanneer mensen zich echter echt willen verdiepen in dit gebied zullen

ze meer gespecialiseerde deskundigen moeten raadplegen, bijvoorbeeld psychotherapeuten.

5.8.2 *Feedback geven*

We hebben hierboven geprobeerd je te doordringen van het belang van feedback geven en krijgen. Het zal je duidelijk zijn geworden dat de mate waarin feedback wordt gegeven en de effectiviteit ervan, in de eerste plaats sterk bepaald wordt *door de sfeer van vertrouwen en de onderlinge openheid* tussen de onderwijsgroepsleden. In de tweede plaats wordt de kwaliteit van de feedback bepaald door *de wijze waarop* de feedback gegeven en ontvangen wordt.

Je zult ongetwijfeld wel eens de ervaring hebben opgedaan dat je probeert een ander duidelijk te maken welk effect diens gedrag op jou had en dat de ander toen boos, afwijzend, verontwaardigd of zelfs agressief reageerde. Dit komt doordat we soms, ondanks de beste bedoelingen, op een ongelukkige wijze formuleren hoe we iemands gedrag ervaren. We beschrijven bijvoorbeeld zijn gedrag in termen als: 'Je was vandaag wel erg dominant' of 'Je gaf zo autoritair leiding', waarna de aangesprokene allerlei argumenten verzint waarom dat gedrag juist op dat moment zinvol was. Je medegroepslid gaat zich *defensief gedragen* omdat hij het gevoel heeft dat er een waardeoordeel over hem geveld wordt. Uitspraken als 'dominant gedrag', 'autoritair leiderschap' roepen snel negatieve connotaties op.

Een andere fout die feedbackgevers vaak maken, is dat ze niet goed duidelijk maken wat het gedrag van de ander kenmerkt en welk effect dat gedrag op hen heeft. Een opmerking als 'Je bent zo dominant' kan betekenen dat de ander voortdurend medegroepsleden onderbreekt, dat hij steeds het hoogste woord heeft, dat hij zijn voorstellen erdoor wil drukken. Wanneer de feedbackgever niet verheldert wat hij met dominant bedoelt, gaat de feedbackontvanger dat begrip zelf, vaak met een negatieve lading, invullen. Weerstand tegen een dergelijke classificatie ontstaat dan snel.

Defensief gedrag kan ook ontstaan als aan de gevoelens van degene die de feedback ontvangt voorbijgegaan wordt. Wanneer bijvoorbeeld een groepslid herhaaldelijk heeft uitgelegd dat hij de touwtjes zo strak in handen heeft genomen omdat hij vond dat de groepsleden vaak afdwaalden en groepsleden deze argumentatie niet serieus nemen door niet naar hun eigen gedrag te kijken, dan is defensief gedrag het gevolg. Defensief gedrag kan tot slot ook ontstaan als de feedback die gegeven wordt belerend is, bijvoorbeeld doordat opgemerkt wordt: 'Dat je nu nog niet weet dat de gespreksleider altijd verantwoordelijk is voor…'

Wanneer je defensieve reacties wilt vermijden, dan moet je proberen je feedback op iemands gedrag vrij te houden van waardeoordelen, geveinsde emoties en een belerende houding. Defensieve communicatie komt helaas veel voor. Ze leidt tot een negatieve interactiespiraal tussen groepsleden. Een eerste stap om uit de vicieuze cirkel te geraken is het onderkennen van dit communicatieprobleem. Door afstand te nemen, je te richten op het probleem, de ander als gelijke te benaderen en je in te leven in zijn situatie, kan constructieve feedback tot stand worden gebracht.

Constructieve feedback, dat wil zeggen feedback die de ander begrijpt, accepteert en mogelijkerwijze wil gebruiken om zijn gedrag te veranderen, kan pas plaatsvinden als feedbackgever en -ontvanger proberen elkaars gedrag te begrijpen en oog te hebben voor de mogelijke gevolgen van dat gedrag op andere groepsleden. Tevens houdt het in dat je in staat en bereid moet zijn kritiek te leveren en te krijgen. Ten slotte houdt effectieve feedback in dat je in staat moet zijn mededelingen op een constructieve manier te geven en te ontvangen. Enige criteria waaraan constructieve feedback moet voldoen, zijn:

- De feedback moet *beschrijvend* zijn. Beschrijvend betekent dat de kritiek niet veroordelend of belerend is. Het gaat erom weer te geven wat jij hebt waargenomen, wat jouw beleving daarvan is en wat de reactie was die het gedrag van de ander bij jou teweeg heeft gebracht. Door je eigen waarneming en reactie te beschrijven laat je de ander vrij om deze informatie naar eigen goeddunken al dan niet te gebruiken. Bijvoorbeeld: 'Ik zag je eerst enkele malen Annelies abrupt onderbreken, daarna heb je mij enkele keren fors geïnterrumpeerd. Op mij had dat het effect dat ik maar niets meer inbracht.'
- De feedback moet *specifiek* zijn. Specifiek houdt in dat je geen globale kenschets van je groepsleden geeft. De feedback moet gericht zijn op concrete, waargenomen en duidelijk omschreven gedragingen en niet op de hele persoon. Tegen iemand zeggen dat hij zo dominant is, helpt hem minder dan te zeggen: 'Juist toen we op het punt stonden een beslissing te nemen over dat leerdoel, luisterde jij volgens mij niet naar wat de anderen zeiden. Je onderbrak steeds mensen die andere voorstellen wilden doen. Ik heb toen mijn mond gehouden, omdat ik het gevoel had niet tegen je op te kunnen, maar eigenlijk was ik het niet met je eens.'
- Uiteraard moet de feedback die je geeft ook *bruikbaar* zijn voor de ander. Wanneer iemand bijvoorbeeld gewezen wordt op tekortkomingen waarop hij zelf geen invloed heeft, voelt hij zich alleen nog maar meer gefrustreerd.
- Feedback moet *op het juiste moment* worden gegeven. We bedoelen ermee te zeggen dat de tijdsspanne tussen het gedrag dat je aan de orde wilt stellen en het optreden van dat gedrag niet te lang moet zijn. Wanneer dat wel het geval is, herinnert de persoon die dat gedrag vertoonde het zich vaak al niet meer, hij voelt zich dan misschien ten onrechte bekritiseerd en gaat defensief gedrag vertonen. Bij voorkeur moet feedback dus direct volgen op het gedrag dat je aan de orde wilt stellen. Uiteraard is dat niet altijd even eenvoudig. Ten eerste moet de ontvanger feedback willen krijgen. Ten tweede kun je niet altijd in een discussie onderbreken om iemand feedback te geven.
- Schroom niet om *ook feedback te geven* wanneer groepsleden *effectief gedrag vertonen*. Feedback geven betekent niet dat je alleen storende, disfunctionele gedragingen van anderen aan de orde stelt. Het noemen van positieve punten in het gedrag van de ander kan ertoe leiden dat een groepslid functioneel gedrag vaker uitoefent. Een complimentje, een positieve waardering, geeft anderen het idee dat ze op zinvolle wijze bijdragen aan de onderwijsgroep en stimuleert hen om dat gedrag vaker te vertonen.
- Feedback moet zo geformuleerd worden dat de ontvanger *wordt uitgenodigd*

om te reageren. Constructieve feedback opent deuren, degene die de feedback ontvangt wordt zich opeens bewust van het effect van zijn (onbewust bedoelde) gedrag op anderen. De feedbackontvanger kan dan zijn gedrag bijstellen. Vaak legt een groepslid dan ook uit waarom hij dat gedrag vertoont. Hierdoor ontstaat openheid in de onderwijsgroep, hetgeen weer bevorderlijk is voor een goede samenwerking.

Wanneer feedback aan bovenstaande spelregels voldoet, zijn mensen vaak geneigd om aandachtig naar je kritiek te luisteren, hierover na te denken, erop in te gaan en zo nodig hun gedrag aan te passen. Hieronder volgt een kort scenario voor de wijze waarop je kunt handelen wanneer je een of meer groepsleden feedback wilt geven.

1 Neem even de tijd om te bedenken wat je wilt gaan zeggen. Het is dan makkelijker om voldoende afstand te nemen. Schrijf eventueel in het kort het verloop van een bepaalde interessante gesprekssituatie voor jezelf op.
2 Geef de feedback in de vorm van 'ik-boodschappen'. 'Ik...' Vermijd het gebruik van beschrijvingen waarbij je met 'Jij...' begint. Dergelijke opmerkingen kunnen al gauw beschuldigend of veroordelend overkomen, waardoor de feedback haar doel mist.
3 Beperk de feedback tot datgene wat in het contact met deze persoon is voorgevallen. 'Ik vond het..., dat je eerst..., daardoor kreeg ik...'
4 Beschrijf je eigen gevoel. 'Ik vond het..., dat je eerst..., daardoor kreeg ik..., en dat maakte dat ik me... voelde.'
5 Beschrijf het effect van het gedrag op jou. 'Ik vond het..., dat je eerst..., daardoor kreeg ik..., en dat maakte dat ik me... voelde. Ik reageerde daarom met...'
6 Nodig uit tot een reactie. 'Ik vond het..., dat je eerst..., daardoor kreeg ik..., en dat maakte dat ik me... voelde. Ik reageerde daarom met... Misschien kan je duidelijk maken waarom...'

5.8.3 Feedback ontvangen

Feedback ontvangen gaat natuurlijk het gemakkelijkst als je zelf om feedback vraagt. Je bent dan geïnteresseerd in het effect van jouw gedrag op anderen. Wanneer je feedback vraagt aan anderen, bepaal dan eerst wat je precies wilt weten en stel vervolgens concrete vragen over dat onderwerp. Je wilt bijvoorbeeld weten of de manier waarop je uitleg geeft in de onderwijsgroep wel 'overkomt' bij de andere groepsleden. Probeer dan informatie te krijgen over specifieke zaken, bijvoorbeeld of je je informatie scheidt in hoofd- en bijzaken, of je je gedachten helder verwoordt, of je niet te veel verschillende onderwerpen in een verhaal stopt, of je op een levendige of eentonige wijze praat. Wanneer je feedback ontvangt, betekent een constructieve benadering dat je je niet meteen gaat verdedigen en gaat argumenteren waarom je gedrag zo noodzakelijk was. Luister aandachtig naar wat een groepslid of groepsleden je vertellen. Wanneer je iets niet begrijpt, vraag dan door. Nodig de feedbackgever uit zo concreet mogelijk te beschrijven hoe hij jouw gedrag waargenomen en beleefd heeft. Check zo nodig bij anderen of zij een soortgelijke ervaring hebben. Probeer open te staan voor de mededelingen van je medegroepsleden en luister naar hun reacties op je gedrag. Ga vervolgens bij jezelf na of je het effect dat je met je gedrag oproept wel wilt en probeer zo nodig je gedrag te veranderen.

We begonnen deze paragraaf met de opmerking dat feedback geven en ontvangen niet gemakkelijk is. Veel studenten proberen deze activiteit te ontwijken. Ze ervaren het als pijnlijk om een ander te vertellen of van een ander te horen wat niet zo vlot verloopt binnen het werken in een onderwijsgroep. Feedback geven en ontvangen geeft je echter meer inzicht in je persoonlijk functioneren. Het maakt je meer bewust van de 'blinde vlekken' in je gedrag; gedragingen die je jezelf niet al te zeer bewust bent, maar die anderen wel waarnemen en zich bewust zijn. Wanneer je openstaat voor feedback krijg je een breder inzicht in je gedragsrepertoire, waardoor je professioneler kunt handelen in interacties met anderen.

5.9 Afronding

Het zal duidelijk zijn: van de leden van een onderwijsgroep wordt een actieve bijdrage aan de onderwijsgroepsbijeenkomsten verwacht. Willen de groepsleden de onderwerpen die worden besproken diepgaand begrijpen, dan moet er veel informatie worden uitgewisseld. Het geven van uitgewerkte informatie en het stellen van, vooral open, vragen is hiervoor belangrijk. Maar deze informatie moet ook geordend, gekanaliseerd worden. Samenvattingen bieden daartoe uitstekende mogelijkheden. Leden van een onderwijsgroep kunnen hun interactie verbeteren door regelmatig stil te staan bij de wijze waarop ze inhoudelijk en sociaal communiceren. Ze kunnen zich dan afvragen of hun bijeenkomsten een meerwaarde hebben: of er daadwerkelijk iets geleerd wordt en of de samenwerking wel naar behoren functioneert. Evaluaties over de inhoudelijke en procesmatige voortgang zijn effectief wanneer de groepsleden zowel stilstaan bij de kwaliteit en kwantiteit van hun eigen bijdragen als door open te staan voor de feedback van andere groepsleden.
In de Appendix bij dit hoofdstuk tref je instrumenten aan die je kunnen helpen om je vaardigheden als groepslid in een onderwijsgroep te verbeteren. Deze instrumenten vind je ook op de website.

Appendix hoofdstuk 5

Instrumenten om het functioneren van een groepslid in een onderwijsgroep te verbeteren

In deze bijlage bieden we materiaal aan dat je kunt gebruiken om je functioneren als groepslid te verbeteren. Het materiaal bestaat uit observatie-, check- en evaluatielijsten. Door regelmatig actief een of enkele van deze instrumenten te gebruiken kan je je voortgang in vaardigheden beter observeren en beoordelen. Wanneer je een ander groepslid je mening wil geven over zijn of haar functioneren in de groep is het nuttig gebruik te maken van de feedbackregels beschreven in paragraaf 5.8

Instrument 1 Observatieformulier groepslid

Naam observator:	**Naam geobserveerde:**
Algemene opmerkingen: schrijf in enkele kernwoorden je waarnemingen waarover je feedback wilt geven hieronder op.	
Wat ik in het algemeen goed vond van mijn medegroepslid:	
Wat ik in het algemeen minder goed vond van mijn medegroepslid:	
Specifiek: ik heb een of meer van de volgende vaardigheden waargenomen.	*(In rechterkolom turven hoe vaak.)*
Actief luistergedrag	
Informatie geven: • geven van objectieve informatie • geven persoonlijke mening	
Informatie vragen: • vragen om objectieve informatie • vragen om persoonlijke mening	
Samenvatten van delen van de discussie	

Kanaliseren/structureren grotere delen van de discussie	
Concretiseren leerstof	
Kritische opmerkingen over de leerstof/ inbreng groepsleden	
Notuleren: zelf schema op bord schrijven	
Andere activiteiten, t.w.	

Instrument 2 Evaluatieve vragenlijst 'Functioneren onderwijsgroep'

Hieronder staat een aantal korte vragenlijstjes om verschillende aspecten van het functioneren van de onderwijsgroep te evalueren.

1 Spreek met elkaar af welk vragenlijstje je zult gebruiken.
2 Vul de gekozen vragenlijstjes in door met een cijfer aan te geven in hoeverre je het met de uitspraken eens bent. Gebruik hierbij de cijfers 1-2-3-4-5, waarbij 1 betekent 'geheel mee oneens' en 5 'geheel mee eens'.
3 Wanneer iedereen klaar is worden de verschillende reacties op het bord geturfd. Vervolgens worden opvallende uitkomsten besproken.
4 Daarna worden afspraken gemaakt hoe een-en-ander verbeterd kan worden.
5 Ten slotte wordt afgesproken wanneer op deze afspraken wordt teruggekomen.
6 Uiteraard kun je zelf items toevoegen.

1
Hoe hard werken we eigenlijk?

A | 1 | 2 | 3 | 4 | 5 | Ik besteed veel tijd aan het bestuderen van de leerdoelen.
B | 1 | 2 | 3 | 4 | 5 | Als ik iets niet direct kan vinden, wacht ik af of de anderen het antwoord in de onderwijsgroep geven.
C | 1 | 2 | 3 | 4 | 5 | Ik bereid me inhoudelijk altijd zorgvuldig voor op de nabesprekingsfase.
D | 1 | 2 | 3 | 4 | 5 | In deze groep nemen we te snel genoegen met een bepaalde oplossing of verklaring.
E | 1 | 2 | 3 | 4 | 5 | Ik denk dat de andere groepen al meer gedaan hebben.
F | 1 | 2 | 3 | 4 | 5 | Ik leer veel van de inbreng van de andere groepsleden.
G | 1 | 2 | 3 | 4 | 5 | Dit is een productieve onderwijsgroep.
H | 1 | 2 | 3 | 4 | 5 | De inhoudelijke voortgang van deze groep wordt door alle groepsleden gedragen.

2

Hoe werken we aan de problemen uit het blokboek?

A [1|2|3|4|5] In deze groep wordt met een duidelijke agenda gewerkt.
B [1|2|3|4|5] In deze groep worden agendapunten daadwerkelijk afgewerkt.
C [1|2|3|4|5] In deze groep houdt iedereen zich aan de afspraken.
D [1|2|3|4|5] Het analyseren van een nieuw probleem gebeurt te oppervlakkig.
E [1|2|3|4|5] In deze groep worden duidelijke leerdoelen geformuleerd.
F [1|2|3|4|5] De nabespreking voegt weinig toe aan wat ik al weet.
G [1|2|3|4|5] We passen de nieuw verworven informatie regelmatig toe op het probleem.
H [1|2|3|4|5] In deze groep wordt kritisch gekeken naar de informatie die ter tafel komt.

3

Hoe verloopt de samenwerking?

A [1|2|3|4|5] Er wordt in deze groep goed naar elkaar geluisterd.
B [1|2|3|4|5] Ik kan in deze groep mijn mening kwijt.
C [1|2|3|4|5] In deze groep is vertrouwen in elkaars bijdragen.
D [1|2|3|4|5] In deze groep worden opvattingen van enkele groepsleden te gemakkelijk nagevolgd.
E [1|2|3|4|5] Ik word in deze groep door groepsleden gemotiveerd en gestimuleerd.
F [1|2|3|4|5] Ik voel mij in deze groep thuis.
G [1|2|3|4|5] In deze groep staat men open voor afwijkende standpunten.
H [1|2|3|4|5] In deze groep is men bereid tegenstellingen op te lossen.

4

De tutor

A [1|2|3|4|5] De tutor helpt ons om structuur in de informatie te vinden.
B [1|2|3|4|5] De tutor helpt ons om steeds zelfstandiger te functioneren.
C [1|2|3|4|5] De tutor geeft richting aan ons denken over de onderwerpen in het blok.
D [1|2|3|4|5] De tutor laat te veel aan ons over.
E [1|2|3|4|5] De tutor legt zo veel aan ons uit dat ik daardoor minder ga doen.
F [1|2|3|4|5] De tutor biedt verschillende alternatieven aan waaruit wij een keuze kunnen maken.
G [1|2|3|4|5] De tutor denkt mee vanuit (bouwt voort op) onze kennis van de leerstof.
H [1|2|3|4|5] De tutor kan goed beschrijven hoe onze samenwerking verloopt.

Instrument 3 Checklist 'Vaardigheden van onderwijsgroepsleden'

Hierna tref je een checklist aan van de meest belangrijke activiteiten die een groepslid van een onderwijsgroep tijdens bijeenkomsten kan leveren.

1 Bekijk deze checklist zorgvuldig. Denk na over je eigen functioneren als groepslid.
2 Scoor je eigen gedrag door aan te geven of je bepaalde vaardigheden vaak, soms of niet uitvoert.
3 Informeer daarna eens bij medegroepsleden of zij de aanwezigheid of (gedeeltelijke) afwezigheid van bepaalde activiteiten ook bij je waarnemen. Vraag hen om feedback op je functioneren. Door aandachtig naar hun informatie te luisteren en door zorgvuldig na te gaan of je gewenste of ongewenste effecten uitlokt, kun je je functioneren in groepen verbeteren.
4 Noteer (deel)vaardigheden die je wilt verbeteren onder aan de checklist en controleer regelmatig of en hoe je dit lukt.

Checklist: Vaardigheden van onderwijsgroepsleden

Vaardigheid	Karakteristieken	Vaak	Soms	Weinig
Actief luisteren de boodschap van de anderen proberen te begrijpen	• regelmatig oogcontact • eerst luisteren naar gehele verhaal, dan pas denken over eigen inbreng • niet interrumperen • aandacht voor de kern van wat gezegd wordt • eigen interpretaties vermijden • checken of besprokene begrepen is • non-verbaal actieve betrokkenheid tonen			
Informatie geven op een actieve wijze medestudenten vertellen wat je weet, zo nodig informatie aanvullen, onduidelijkheden verhelderen	• vooraf je gedachten ordenen • aansluiten op referentiekader van medestudenten • onderscheiden hoofd- en bijzaken • gedachten helder uitdrukken • levendig spreken • persoonlijke mening scheiden van objectieve feiten • niet te veel informatie in een keer geven			
Informatie vragen gericht vragen naar verduidelijking of uitleg	• helder en kort formuleren • eenduidig formuleren • aansluiten op gespreksonderwerp • open vragen stellen			
Samenvatten ordenen van (deel van) discussie	• kenbaar maken dat je gaat samenvatten • weergeven van de kerngedachte • correcte weergave besprokene • juiste timing			

Vaardigheid	Karakteristieken	Vaak	Soms	Weinig
Notuleren met behulp van schema's de informatie-uitwisseling visualiseren en overzichtelijk houden	• belangrijke informatie distilleren uit discussie • beknopt weergeven informatie in trefwoorden, afkortingen of symbolen • informatie onderbrengen in schema's • objectieve informatie scheiden van persoonlijke meningen • juistheid genotuleerde checken			
Evalueren waarderen van de kwaliteit van een of meer bijeenkomsten op inhoudelijk, procedureel of interactioneel niveau	• bewust, doelgericht en systematisch observeren • concretiseren van gebeurtenissen • oordeel vormen over positieve en negatieve aspecten • suggesties aandragen ter verbetering • afspraken tot verandering continueren			
Feedback geven reactie op het gedrag van anderen geven	• constructief • specifiek, waarneembaar en aanwijsbaar • concrete voorvallen • rekening houdend met gevoelens • vanuit eigen waarneming en gevoel, in ik-vorm • gerelateerd aan datgene wat van belang is voor de groep • alternatieven aangeven • nagaan hoe feedback ontvangen is			
Feedback ontvangen reacties krijgen over het effect dat jouw gedrag op anderen heeft	• open luisterhouding • doorvragen bij onduidelijkheden • checken eigen interpretatie van de feedback • nagaan of het effect van eigen gedrag wenselijk is • bepalen hoe eigen gedrag te veranderen			

Ik ga de komende tijd de volgende deelaspecten van de vaardigheid/vaardigheden .... aanpakken. Ik doe dit als volgt:

....

....

6 Vaardigheden van de gespreksleider van een onderwijsgroep

6.1 Inleiding

Leiding geven aan groepen is een vaardigheid die je in je latere beroepsleven vaak zult moeten uitoefenen. Je zult vaker gevraagd worden een vergadering voor te zitten of een (project)groep te leiden. Misschien word je teamleider in een organisatie of hoofd van een afdeling. Leiding geven is kortom een vaardigheid die niet in je opleiding mag ontbreken. Een onderwijsgroep is een goede leeromgeving om een start te maken met het verwerven van deelvaardigheden op dit terrein.

Het leiden van een onderwijsgroep is een activiteit waarmee slechts weinig studenten vertrouwd zijn. In een onderwijsgroep wordt de rol van gespreksleider bij toerbeurt door de groepsleden vervuld. Ieder groepslid is ten minste één bijeenkomst gespreksleider. Tijdens de eerste bijeenkomst moet afgesproken worden wie wanneer gespreksleider is. Het namenlijstje van de leden van de onderwijsgroep kan bijvoorbeeld gebruikt worden om een volgorde aan te geven. Het is belangrijk dat iedereen tijdig weet wanneer hij gespreksleider is, zodat men zich daarop kan voorbereiden. Ad hoc gespreksleiders benoemen leidt in de meeste gevallen tot half werk.
Er zijn twee goede momenten om het gespreksleiderschap tussen groepsleden te laten wisselen. De eerste mogelijkheid is om voor iedere bijeenkomst een nieuwe gespreksleider aan te wijzen. Deze leidt dan de gehele bijeenkomst van twee uur, zowel de na- als de voorbespreking. Veelal zal de gespreksleider dan tijdens de analysefase van de bespreking van een probleem, in de voorafgaande bijeenkomst, als notulist actief geweest zijn. Hierdoor kan hij zich al enigszins op zijn rol als gespreksleider in de volgende bijeenkomst voorbereiden. De tweede mogelijkheid is om tijdens een groepsbijeenkomst van gespreksleider te wisselen. Deze procedure werkt als volgt: Groepslid A is gespreksleider vanaf de bespreking van de nieuwe problemen tot en met de nabespreking van deze problemen in de eerstvolgende bijeenkomst. Groepslid B wordt vervolgens gespreksleider bij de bespreking van de nieuwe problemen, uiteraard tot en met de fase van synthese in de daaropvolgende bijeenkomst. Voor- en nabespreking, analyse en synthese van een of meer problemen zijn daardoor in één hand.

Voor we op de verschillende taken van een gespreksleider ingaan, willen we een vaak voorkomend misverstand wegnemen. Veel studenten zien de gespreksleider als dé persoon die de onderwijsgroepsbijeenkomst kan maken of breken. Zij beschouwen de gespreksleider als degene die verantwoordelijk is voor het hele reilen en zeilen van de groep. Wanneer het misloopt, wordt al snel met een

beschuldigende vinger in de richting van de gespreksleider gewezen: hij heeft niet tijdig ingegrepen, niet samengevat, niet doorgevraagd, geen procedures voorgesteld of bewaakt et cetera.
Hoewel wij van mening zijn dat de gespreksleider een belangrijke rol vervult in het stimuleren en bewaken van de voortgang van de groep, vinden we dat ieder groepslid hieraan ook een bijdrage moet leveren. Ieder lid is verantwoordelijk voor de goede gang van zaken in een onderwijsgroep. Het aantal activiteiten dat tijdens een onderwijsgroepsbijeenkomst moet worden uitgevoerd is zo omvangrijk, dat deze niet door een persoon vervuld kunnen worden. Een overzicht van al deze activiteiten tref je aan in de boxen 25 en 27. Alle groepsleden moeten bij het uitvoeren en bewaken van deze activiteiten een rol vervullen. Dat betekent dat je niet achterover kunt leunen wanneer je geen gespreksleider bent. Als de discussie moeilijk gaat, belangrijke punten vergeten worden of de interactie tussen groepsleden moeizaam verloopt, dan is het voor ieder groepslid van belang om dat te signaleren en te verhelpen. Het is belangrijker dát deze activiteiten vervuld worden, dan wíe ze vervult!
Je kunt je afvragen waarom er eigenlijk nog een gespreksleider nodig is in een onderwijsgroep, als iedereen in de groep medeverantwoordelijk is voor de goede gang van zaken. Wanneer alle groepsleden in staat waren om gelijktijdig aandacht te besteden aan de inhoudelijke discussie én aan de wijze waarop de discussie gevoerd wordt, zou er inderdaad geen gespreksleider nodig zijn. Maar de praktijk wijst uit dat die combinatie erg moeilijk is. Leden van een onderwijsgroep zijn vaak zó betrokken bij het ter discussie staande onderwerp, dat ze niet altijd oog en oor hebben voor de lijn in de discussie, de mate van participatie van andere groepsleden of onevenwichtigheden in de structurering of toepassing van de verworven kennis. Er moet dus iemand zijn die minder direct betrokken is bij de inhoudelijke bespreking van het onderwerp. Iemand die de grote lijn in de gaten houdt en signaleert wanneer de inhoudelijke bespreking van een probleem of de samenwerking tussen de leden van een onderwijsgroep mis dreigt te gaan.
In de volgende paragrafen besteden we aandacht aan de belangrijkste facetten van de gespreksleidersrol.

6.2 De voorbereiding van een bijeenkomst door de gespreksleider

Elke onderwijsgroepsbijeenkomst bevat twee hoofdactiviteiten: het analyseren van nieuwe problemen en het nabespreken, synthetiseren van de informatie die uit de zelfstudie naar voren komt. Ter voorbereiding op de nieuwe problemen uit het blokboek die aan de orde komen, is het voor de gespreksleider van belang om de betreffende teksten en de eventuele toelichting in het blokboek, bijvoorbeeld in de inleiding, van tevoren goed door te lezen. Laat je gedachten eens gaan over de wijze waarop de onderwijsgroep de problemen aan kan pakken en probeer in te schatten hoeveel tijd voor ieder probleem ingeruimd moet worden. Kijk ook naar de planning die de onderwijsgroep eerder gemaakt heeft of naar het tijdschema van de makers van het blok.

Voor de nabespreking is het van belang dat je als gespreksleider grondig aan de leerdoelen gewerkt hebt. Met dat gegeven in het achterhoofd dien je voorafgaand aan de groepsbijeenkomst de volgende punten te overwegen:
- Is er een bepaalde *samenhang* tussen de leerdoelen? Is een zekere *besprekingsvolgorde* van de verschillende leerdoelen noodzakelijk?
- Hoeveel *tijd* is er waarschijnlijk nodig voor de bespreking van de leerdoelen?
- Welke *moeilijkheden* zitten er in de leerstof die bestudeerd moet worden? Wanneer en op welke manier kan daar aandacht aan geschonken worden?
- Welk *verband* kan er zijn tussen het blokthema, de problemen en de daaruit voortvloeiende leerdoelen? Zijn er algemene regels, principes, opvattingen te distilleren uit het te bestuderen materiaal die de concrete leerdoelen overstijgen?
- Welke *inbreng* valt er te verwachten van de andere groepsleden op grond van hun optreden tijdens de andere bijeenkomsten en van de bespreking van de problemen tijdens de vorige bijeenkomst?

In de twee uur dat een onderwijsgroep bijeenkomt moet veel werk verricht worden. Het is daarom nuttig als gespreksleider de onderwijsgroep een *agenda* voor te leggen, waarin aangeduid wordt hoeveel tijd er beschikbaar is voor de bespreking van de verschillende leerdoelen en de nieuwe problemen. De agenda maakt duidelijk wat er besproken wordt en hoeveel tijd daar ongeveer voor beschikbaar is. Box 29 laat een voorbeeld zien van zo'n agenda.
Op de agenda staan de twee hoofdactiviteiten van de onderwijsgroep:
- de uitwisseling van inzichten die verkregen zijn door het bestuderen van de vorige leerdoelen: de integratie en toepassing van de nieuwe informatie.
- de analyse van de nieuwe problemen, uitmondend in de formulering van nieuwe leerdoelen.

Box 29 *Voorbeeld van een agenda voor een onderwijsbijeenkomst*

Agenda blok 1.2 week 3 bijeenkomst 1

08.30-08.35 uur	Opening bijeenkomst, bespreking agenda
08.40-09.20 uur	Nabespreking probleem 6 'Een zomerse vakantiedag' Leerdoelen: 1 begrip 'zwerk' 2 ontstaan van onweer 3 proces waardoor bliksem ontstaat 4 mechanisme van donder: explosie of implosie? 5 nut van onweer in de atmosfeer
09.30-09.35 uur	Pauze
09.35-10.15 uur	Analyse van nieuwe problemen: • taak 7 'regenbogen' • taak 8 'tornado's'
10.15-10.20 uur	Vaststellen leerdoelen voor volgende bijeenkomst
10.20-10.30 uur	Evaluatie: zijn we tevreden over de inhoudelijke voortgang?

De agenda is ingedeeld in een aantal punten en er wordt een tijd aangegeven waarbinnen de gespreksleider denkt dat zo'n punt behandeld kan worden. Kan een onderwerp worden onderverdeeld in afzonderlijk te bespreken punten, dan dient de indeling in punten tegelijkertijd tot een voorstructurering van het gesprek en kan ze de discussie vergemakkelijken (bijvoorbeeld de tijd tussen 08.40 uur en 09.20 uur). Een indeling in punten is niet altijd zinvol. Wanneer je bijvoorbeeld een aantal deelonderwerpen in samenhang met elkaar wilt bespreken, is het zinloos een agenda van een hele reeks punten te maken (bijvoorbeeld de tijd tussen 09.35 uur en 10.15 uur).
Bekijk bij het opstellen van de agenda tevens zorgvuldig hoeveel onderwerpen tussen de bijeenkomsten bestudeerd kunnen worden. Door organisatorische omstandigheden kan de tijd tussen twee onderwijsgroepsbijeenkomsten sterk verschillen: bijvoorbeeld binnen een week vindt bijeenkomst 1 plaats op dinsdagmiddag en bijeenkomst 2 op vrijdagmiddag. Bijeenkomst 3 is weer op dinsdagmiddag, enzovoort. Zorg dan dat tussen bijeenkomst 2 en 3 aan een aantal overzienbare leerdoelen gewerkt kan worden, zodat de groepsleden niet in tijdnood komen. Voor de langere werkperiode tussen de dinsdag- en vrijdagmiddag kunnen dan meer complexe leerdoelen afgesproken worden.

6.3 Vaardigheden tijdens de nabespreking van problemen

Bijna alle onderwijsgroepen beginnen hun bijeenkomsten met het nabespreken van de bestudeerde literatuur. Om die reden beginnen wij er hier ook mee. Wanneer de bijeenkomst begint, legt de gespreksleider eerst de *agenda* voor aan de groep om na te gaan of de andere groepsleden zich in de onderwerpen en tijdsverdeling kunnen vinden. De agenda is een hulpmiddel om het gesprek te ordenen, er moet dan ook met de nodige flexibiliteit mee worden omgegaan. Wanneer de bespreking van een bepaald onderwerp langer duurt dan aangegeven en de groepsleden vinden voortzetting van de discussie zinvol, dan mag de agenda geen keurslijf zijn dat voortzetting van het gesprek verhindert. Het ter discussie stellen van de agenda moet ook tijdens de bijeenkomst mogelijk zijn. Nadat de groep het eens is geworden over de agenda, begint ze met de nabespreking van de bestudeerde leerstof naar aanleiding van de leerdoelen die de vorige keer geformuleerd zijn.
Voordat de groepsleden inhoudelijk informatie gaan uitwisselen wordt gestart met een korte *inventarisatie van de geraadpleegde bronnen*. Welke literatuur-, audiovisuele of elektronische (internet)bronnen zijn geraadpleegd om informatie te vinden om de leerdoelen te bespreken? Het doel van deze uitwisseling is drieledig: ze informeert de groepsleden over de beschikbaarheid van interessante bronnen; ze biedt inzicht in de verschillende perspectieven van waaruit gediscussieerd kan gaan worden en ze geeft studenten een indicatie of iedereen gedaan heeft wat was afgesproken.
Nadat de groepsleden de bronnen vermeld hebben, start de gespreksleider met een *korte terugblik* op de analyse van het probleem tijdens de vorige bijeenkomst

en stelt de *openingsvraag*. De gespreksleider kan dus niet volstaan met louter een opsomming van de leerdoelen. Openingen als 'Hoe ontstaat donder? Wie heeft daar iets over gevonden?' zijn richtingloos, niet motiverend en procedureel vaag. Het is beter om als gespreksleider nog even kort de discussie te schetsen die leidde tot het formuleren van dit leerdoel, het leerdoel te noemen en aan te geven op welke wijze het leerdoel besproken gaat worden. Een dergelijke benadering zou er als volgt uit kunnen zien: 'Vorige keer hebben we in het kader van het probleem over onweer nagedacht over de wijze waarop donder zou kunnen ontstaan. Er waren toen verschillende opvattingen: een deel van de groep dacht dat donder een gevolg was van het uiteenklappen en botsen van luchtlagen als gevolg van de enorme hitte van de bliksemflits, een explosie dus. Anderen meenden het omgekeerde, luchtlagen die in de lege ruimte rolden ontstaan door de bliksemflits, een implosie. Laten we eerst eens bekijken wat de verschillende auteurs hierover zeggen om vervolgens eventuele problemen die jullie zijn tegengekomen in de literatuur te bespreken. Bas, jij opperde vorige keer dat het om een implosie ging. Wat vind je daar nu van na bestudering van de literatuur?'
Een dergelijke opening kenmerkt zich door de volgende facetten: de gespreksleider plaatst de probleemstelling duidelijk in een *context*, hij *motiveert* de groepsleden hun bijdrage te leveren en hij doet een *procedurevoorstel* ter bespreking. Door zo de leerdoelen te introduceren ondersteunt de gespreksleider een actieve start van een nabespreking. Doordat de groepsleden persoonlijk worden aangesproken worden ze gestimuleerd hun bijdrage te leveren.

Het doel van de nabespreking is na te gaan of nu een meer *diepgaand begrip* aanwezig is van de bestudeerde informatie. Informatie diepgaand begrijpen betekent dat je structuur onderkent in de informatie. Je onderscheidt hoofd- en bijzaken, ziet verbanden tussen verschillende informatie-eenheden, hebt een idee van de grote lijn in het bestudeerde materiaal en integreert de nieuwe informatie met je reeds aanwezig voorkennis. Daarnaast heb je geprobeerd je concrete voorstellingen te vormen bij abstracte informatie en bekeken of je de informatie kunt toepassen op het oorspronkelijke probleem of een analoog probleem. Ten slotte heb je kritisch nagedacht over wat er gepubliceerd is.
De discussie tijdens de nabespreking moet de studenten in staat stellen na te gaan of hun begrip van het nieuwe onderwerp accuraat is. Ze moet de groepsleden de mogelijkheid bieden opheldering te vragen over onderdelen van het bestudeerde materiaal dat niet begrepen is en ze moet mogelijkheden openen de implicaties van het onderwerp in relatie tot aanverwante problemen of toekomstig professioneel handelen te bespreken. De nabespreking moet geen aaneenschakeling van op zichzelf staande onderwerpen worden, maar moet een plaats krijgen in het kader van het thema of het subthema van het blok. Regelmatige terugkoppeling naar het (sub)thema leidt tot een betere structurering en integratie van de leerstof.

Tijdens de nabespreking moet je als gespreksleider attent zijn op het *vergroten van de informatiedoorvoer*. Om de studenten tijdens deze fase te helpen met het structureren, relateren, concretiseren, selecteren, toepassen en kritisch verwerken van de nieuwe informatie, moet de gespreksleider vooral attent zijn op dergelijke bijdragen van de groepsleden. (Bekijk box 27 nog eens zorgvuldig!) Hij moet vermijden dat studenten te veel over feitjes praten. Hij kan de groepsleden uitnodigen hoofdzaken van bijzaken te onderscheiden, om verheldering vragen wanneer iemands uitleg onduidelijk is, stimuleren dat schema's op het bord verschijnen, vragen om voorbeelden en studenten aanmoedigen interpretaties, visies of conclusies kritisch tegen het licht te houden. Daarbij moet hij in het oog houden dat de interactie niet uitsluitend plaatsvindt tussen hemzelf en afzonderlijke groepsleden, maar zo veel mogelijk tussen de groepsleden onderling. Wanneer een ander groepslid om verheldering vraagt, een voorbeeld geeft, kritisch reageert op de redenering van een medegroepslid is dat prima, dan hoeft de gespreksleider dat niet te doen. Wanneer dat niet of te weinig gebeurt, kan de gespreksleider studenten verbaal of non-verbaal uitnodigen meer op elkaar te reageren.

Het is belangrijk dat de gespreksleider ervoor zorgt dat de *informatiestroom overzichtelijk en doelgericht* blijft. Als gespreksleider heb je hiertoe een aantal mogelijkheden. Allereerst door het woord te verlenen aan ieder die wat wil zeggen. Door even de naam te noemen van iemand die een bijdrage wil leveren, orden je de discussie en kun je door-elkaar-praten voorkomen. Een voorwaarde is natuurlijk dat je goed oplet wie, verbaal of non-verbaal, aanstalten maakt om wat te zeggen. Veelvuldig oogcontact met andere groepsleden is daarvoor belangrijk. Daarom is het handig om in een onderwijsgroepsruimte zo te gaan zitten dat je kunt zien wat er in de hele groep gebeurt.

In de discussie is het ook van belang dat het gespreksonderwerp niet zomaar verandert. *Afdwalen* van het oorspronkelijke thema is een veelvoorkomend probleem in een groepsgesprek. Het overspringen op een ander onderwerp verhindert het ordelijk uitdiepen van een probleem of een vruchtbare bespreking van bestudeerde leerstof. Ook kan er onduidelijkheid over het gespreksonderwerp ontstaan doordat de gesprekspartners elkaar niet of slechts half begrijpen, of doordat iedereen het gespreksonderwerp vanuit zijn eigen referentiekader interpreteert. Dit kan ertoe leiden dat gesprekspartners menen dat ze elkaar begrepen hebben, terwijl ze het over nogal verschillende dingen gehad hebben. We hebben dat verschijnsel eerder pseudo-interactie genoemd. Het is dus belangrijk dat wanneer informatie gegeven wordt, deze aansluit op datgene wat daarvoor in het gesprek aan de orde is geweest.

Een belangrijk middel om afdwalen te voorkomen en tegelijkertijd de discussie te structureren is het regelmatig geven van een *samenvatting*. Een samenvatting confronteert de groep met haar eigen voortgang en biedt de mogelijkheid om de aandacht bij de doelstelling van het gesprek te houden. Zorg dat groepsleden samenvattingen geven of doe dit zelf. Verder kan je de discussie structureren door aantekeningen te (laten) maken op het bord, door ingebrachte informatie zo mogelijk te herformuleren en conclusies te trekken.

Doordat je de leerstof zelf bestudeerd hebt, zal je als gespreksleider natuurlijk ook beschikken over inhoudelijke informatie. Probeer die kennis vooral te benutten om de discussie te ordenen en om vragen te stellen. Zelf meediscussiëren leidt er meestal toe dat je onvoldoende de taken van de gespreksleider vervult. Wanneer je toch een inhoudelijke bijdrage wil leveren geef dan aan dat je dat wilt doen. Probeer dan kort en duidelijk te zijn en concentreer je daarna weer op het gespreksleiderschap.

Ten slotte helpt een *goede afronding van een gespreksonderwerp* de organisatie van de nieuwe informatie te ondersteunen. Een dergelijke afronding houdt in dat de hoofdpunten van wat er geleerd is nog even op een rij gezet worden, bijvoorbeeld: ‘We hebben nu uitvoerig stilgestaan bij…, heeft iemand nog iets aan te vullen? Zo niet, dan wil ik de kernpunten nog even samenvatten. Ten eerste…, vervolgens…, ten slotte…’
Tijdens deze afronding van de bespreking van een of meer problemen uit het blokboek kan de gespreksleider zijn medegroepsleden stimuleren nog eens na te denken over wat er tijdens de discussie heeft plaatsgevonden en of het gesprek nieuwe kennis en inzichten heeft opgeleverd.
Onderzocht kan worden of er nog hiaten in kennis zijn.

Hierna tref je een beknopt overzicht van de belangrijkste activiteiten die je in je rol van gespreksleider tijdens de nabespreking kunt uitvoeren.

1 Bied de leden van de onderwijsgroep een agenda aan voor de behandeling van de verschillende leerdoelen.
2 Inventariseer welke bronnen bestudeerd zijn.
3 Leid de bespreking van de leerdoelen op een adequate wijze in, refererend aan de voorbespreking en wijze waarop de leerdoelen tot stand kwamen.
4 Vergroot de informatiedoorvoer door de groepsleden:
    - uit te nodigen te vertellen wat relevant is in de gevonden informatiebronnen
    - te stimuleren hoofd- en bijzaken in de gevonden informatie te onderscheiden
    - om verheldering te vragen wanneer de toelichting onduidelijk is
    - aan te moedigen elkaar vragen te stellen en uitleg te geven
    - om voorbeelden te vragen
    - te stimuleren verbanden te leggen tussen verschillende onderdelen van de leerstof
    - te vragen relaties te leggen tussen de nieuwe onderdelen en het grotere geheel, bijvoorbeeld het thema of subthema van het blokboek
    - regelmatig aan te dringen op het geven van samenvattingen of dit zelf te doen

- aan te dringen dat het probleem nogmaals besproken wordt, maar nu in het licht van de bestudeerde informatie

5 Moedig de groepsleden aan hun bijdrage te leveren aan de discussie.

6 Stel periodiek voor om te evalueren:
- over de wijze waarop de groep inhoudelijk voortgang boekt
- over de wijze waarop de groepsleden studeren en synthetiseren
- over de wijze waarop de groepsleden samenwerken en participeren in de discussie

6.4 Vaardigheden tijdens de voorbespreking van problemen

Bij de behandeling van nieuwe problemen heeft de gespreksleider eveneens een belangrijke rol. Spreek duidelijk af op welke manier de groep het probleem gaat aanpakken. Als voor een bepaalde *procedure* gekozen wordt, moet je erop toezien dat de gekozen werkprocedure ook gevolgd wordt. Wanneer de groep hiervan afwijkt is het nuttig dat aan de orde te stellen en moet je eventueel nieuwe werkprocedures afspreken.
Tijdens de voorbespreking moet je als gespreksleider attent zijn op het *vergroten van de informatie-invoer*. Het gaat erom dat de studenten hypothesen, theorietjes, processen, mechanismen of procedures naar voren brengen die verklaringen of oplossingen bieden voor het begrijpen of oplossen van de verschijnselen of gebeurtenissen beschreven in het probleem. Je kunt dit op allerlei manieren doen, bijvoorbeeld door te stimuleren dat er vragen gesteld worden, door aandacht te besteden aan afwijkende meningen, door meningsverschillen uit te laten werken. Wees erop attent dat iedereen voldoende kans krijgt om hypothesen of suggesties in te brengen en dat ideeën voldoende worden uitgediept. In deze fase van de voorbespreking is het belangrijk dat de gespreksleider bevordert dat de groepsleden hun beschikbare voorkennis inbrengen en uitwerken. Soms moet je het enthousiasme van sommige groepsleden wat temperen en van anderen stimuleren. Probeer te voorkomen dat de onderwijsgroep te snel naar eenduidige verklaringen of oplossingen zoekt. Diversiteit van meningen is een prima basis voor het daaropvolgende leerproces.
Als gespreksleider moet je er tijdens de voorbespreking voor oppassen dat je niet te veel nadruk legt op een 'soepel' verloop van het gesprek. Het doel van deze fase is het weer activeren van kennis die men al verworven heeft en het ontwikkelen van theorieën en veronderstellingen die het studieproces kunnen sturen. Verschillen van inzicht, tegengestelde suggesties en uiteenlopende conclusies horen daarbij en zijn daarom veelal geen teken van geringe voortgang. Ga ze dus niet in een vroegtijdig stadium uit de weg door vast te houden aan een bepaalde gedachtegang. Onderwijsgroepsbijeenkomsten worden juist levendig en spannend door beargumenteerde verschillen in inzichten en meningen.
Natuurlijk is het in deze fase ook nodig dat je probeert informatie te structureren en te kanaliseren. Vaardigheden als samenvatten, herformuleren en structureren van informatie zijn nodig om een rommelige discussie te vermijden.

De bespreking van nieuwe problemen dient uit te monden in *de formulering van leerdoelen*. Een onderwijsgroepsbijeenkomst is pas geslaagd wanneer er een duidelijke basis is gelegd voor de zelfstudieactiviteiten in de daaropvolgende dagen.

Hieronder vind je een overzicht van de belangrijkste activiteiten die je als gespreksleider tijdens de voorbespreking kunt uitvoeren.

1 Introduceer een nieuw probleem op een adequate wijze.
2 Stel een procedure voor probleembespreking voor.
3 Bewaak de procedure van probleembespreking.
4 Ondersteun de onderwijsgroep bij het formuleren en de keuze van probleemstellingen.
5 Vergroot de informatie-invoer tijdens de voorbespreking door de groepsleden:
   - op een adequate wijze te laten brainstormen door veel associatief gedrag te bevorderen en voortijdige kritiek af te remmen
   - te stimuleren diverse verklaringen of meningen in te brengen
   - aandacht te laten besteden aan alternatieve ideeën, theorieën, veronderstellingen of oplossingen
   - contrasterende visies te signaleren en de groepsleden te stimuleren deze uit te diepen
   - aandacht te schenken aan een gestructureerde uitwerking van ideeën op het bord
   - regelmatig om samenvattingen te vragen of deze zelf te geven
6 Help diepgaande en concrete leerdoelen ontwikkelen en begeleid de besluitvorming hierover.
7 Bevorder de deelname van alle groepsleden.

6.5 Vaardigheden om de samenwerking tussen de groepsleden te bevorderen

Behalve aan de hiervoor genoemde activiteiten die tot doel hebben de deelnemers aan de discussie te ondersteunen bij het werken aan een probleem, zal de gespreksleider ook aandacht moeten besteden aan de *wijze waarop* de groepsleden aan het gesprek deelnemen. Een goed samenwerkende groep ontstaat niet zomaar. In een nieuwe groep kampt iedere deelnemer met een bepaalde mate van onzekerheid. Zal ik me in deze groep wel thuis gaan voelen? Word ik hier als persoon wel geaccepteerd? Zal mijn inbreng gewaardeerd worden? Zal hier een bepaalde mate van openheid en onderling vertrouwen groeien? Is deze groep wel in staat de doelstellingen te bereiken waarvoor ze bijeen is?
Met dergelijke gedachten in het achterhoofd gaan de groepsleden samenwerken en tijdens het met elkaar werken aan de problemen proberen ze tevens een antwoord te krijgen op deze vragen. Het vinden van een antwoord en het op elkaar afstemmen van verwachtingen zijn belangrijke elementen in het samenwerkingsproces in een groep. Meestal duurt het enige bijeenkomsten

voordat een groep een min of meer stabiele vorm van samenwerking heeft ontwikkeld.
Als gespreksleider kun je ook aan deze ontwikkeling van de groep een bijdrage leveren. Doordat je op enige afstand de discussie volgt, ben je beter in staat aandacht te besteden aan de wijze waarop de groepsleden deelnemen. Zo kun je erop letten of iemand zich wel op zijn gemak voelt, of tegenstellingen die aan de oppervlakte komen zich afspelen op het zakelijke of persoonlijke vlak, of er aandacht is voor ieders bijdrage. Als gespreksleider kun je door je optreden het *samenwerkingsklimaat* beïnvloeden door bijvoorbeeld groepsleden bij de discussie te betrekken, te vermijden dat iemand 'platgewalst' wordt in een discussie en door de wijze van samenwerking te bespreken. Door de participatie aan de discussie te bevorderen, door belangstelling te tonen voor andermans ideeën, door verschillende standpunten met elkaar te verzoenen, door een grapje op zijn tijd te plaatsen of van andere groepsleden toe te laten, kan de gespreksleider ervoor zorgen dat de onderwijsgroepsleden zich niet alleen maar inhoudelijk betrokken voelen bij het thema dat aan de orde is, maar de onderwijsgroep ook gaan beleven als een samenwerkingsverband waarbinnen in een open en veilige sfeer geïnteracteerd kan worden.

In paragraaf 3.7 hebben we reeds aandacht geschonken aan verschillende gedragspatronen van groepsleden die in een onderwijsgroep naar voren kunnen komen. Die gedragspatronen hebben invloed op de wijze waarop de discussie vorm en inhoud krijgt: de een is graag en veel aan het woord, een ander luistert liever naar wat er gezegd wordt, een derde is het vaak oneens met wat er beweerd wordt. De gespreksleider zal met deze gedragspatronen geconfronteerd worden en er zorg voor moeten dragen dat de structuur van de bespreking gehandhaafd blijft. Dat is lang niet altijd even eenvoudig. De deelnemers aan een onderwijsgroep kunnen het, ondanks hun goede intenties, de gespreksleider nogal eens lastig maken. We schetsen nu enkele moeilijkheden die zich kunnen voordoen en de mogelijkheden die de gespreksleider heeft om de bespreking weer in het goede spoor te krijgen.

De student die nauwelijks deelneemt aan de discussie
Sommige studenten dragen weinig bij aan de discussie. Een dergelijke houding behoeft helemaal niets te zeggen over hun inhoudelijke voorbereiding van het werk voor de groep. Zo'n houding kan samenhangen met de aard van de persoon of de wijze waarop hij is opgevoed ('Zwijgen is...'). Ook de reden dat iemand minder vaak zijn mond opendoet, behoeft niet altijd dezelfde te zijn. Zo kan het zijn dat iemand vindt dat hij niets toe te voegen heeft aan de discussie (waarbij helaas in het midden blijft of dat ook werkelijk het geval is) of dat telkens als hij iets wil zeggen, net een ander het woord neemt of iemand anders zegt wat hij had willen zeggen. Natuurlijk is het ook mogelijk dat iemand gewoon niet zo goed iets durft te zeggen op grond van eerdere negatieve reacties op zijn bijdragen.
Alleen een gespreksleider die in staat is de wijze van deelname aan de discussie

te observeren, kan deze meer zwijgzame leden van de onderwijsgroep er op subtiele wijze bij betrekken. Hiervoor moet de gespreksleider aandacht besteden aan non-verbale signalen, groepsleden er spontaan bij betrekken, laten merken dat de bijdragen op prijs worden gesteld, luisteren naar inhoud en intentie van de bijdragen, of iemand die onderbroken is alsnog de gelegenheid geven iets te zeggen.

De student die lang van stof is
Sommige onderwijsgroepsleden vertellen hun ideeën, ervaringen en de bestudeerde leerstof met veel omhaal van woorden. Hun bijdragen gaan ten onder in een woordenbrij. Een lang en moeizaam verhaal kan erop duiden dat de betrokkene nog worstelt met de stof. Het is dan niet verstandig om als gespreksleider de betreffende deelnemer botweg af te kappen. De spreker zal zich dan bekritiseerd voelen, openlijk afhaken of met man en macht toch proberen uit te leggen wat hij bedoelde te zeggen. Wanneer een student omslachtig zijn verhaal doet, kan de gespreksleider proberen het betoog van de ander samen te vatten, waarbij hij het accent legt op de kern van de bijdrage: 'Jan, als ik je verhaal goed beluister, dan zijn de twee zaken waar je voor pleit, ten eerste..., ten tweede... Heb ik dat goed begrepen?' Wanneer dit opnieuw een lang betoog tot gevolg heeft, dan valt aan afkappen niet te ontkomen: 'Oké Jan, ik geloof dat Eva ook nog iets wil zeggen.'

De student die snel op een ander spoor zit
Sommige studenten hebben de neiging om snel over te stappen naar onderwerpen die wel iets met het thema te maken hebben, maar die niet aansluiten op wat in de discussie aan de orde is. Vaak pakt zo iemand een gedeelte van de discussie mee als opstapje voor zijn eigen betoog. Dit afdwalen van het oorspronkelijke onderwerp, dit buiten de orde gaan, is een van de meest voorkomende problemen in de groepsdiscussie. Het remt het gesprek in sterke mate en verleidt andere groepsleden ertoe om ook van de hak op de tak te gaan springen. Het is niet verstandig om als gespreksleider inhoudelijk op zo'n bijdrage te reageren. Dan kan degene die afdwaalt proberen duidelijk te maken waarom zijn bijdrage toch relevant is in het kader van het algemene onderwerp; het effect daarvan is dat de bespreking steeds verder van het eigenlijke onderwerp afraakt. De gespreksleider kan beter constateren dat er afgedwaald wordt, aangeven waar de discussie nou eigenlijk over ging en vragen wie daarover nog iets wil opmerken.

De student die 'meelift' op de inspanningen van andere groepsleden
Een bekend probleem in groepen is het probleem van de 'meelifter', een student die probeert te profiteren van de inspanningen van andere groepsleden zonder zelf veel energie en tijd te steken in de productiviteit van de groep. Aanvankelijk is het niet gemakkelijk dit soort intenties te onderkennen. Meelifters lijken coöperatief, ze brengen ideeën in en participeren in de afspraken die de groep maakt. Steeds vaker echter komen ze met excuses waarom ze niet in de gelegenheid waren om aan de gemaakte afspraken te voldoen. Aanvankelijk reageren de andere groepsleden met begrip voor hun verontschuldigingen, later uiten ze hun irritaties vaak op non-verbale wijze.

Voordat de spanning in een onderwijsgroep door dit soort gedrag te hoog oploopt, is het wenselijk dat de gespreksleider zijn observaties en gevoelens over dit soort gedrag aan de orde stelt. De gespreksleider kan bijvoorbeeld voorstellen om eens een evaluatie te houden over ieders bijdragen aan de inhoudelijke voortgang van de groep. Tijdens deze evaluatie kunnen de groepsleden aan elkaar feedback geven en hun irritaties over meeliftgedrag ventileren. Ze kunnen bijvoorbeeld beschrijven welk effect dit gedrag op hen heeft: achterhouden van informatie, onwilligheid om bronnen mee te delen, niet meer luisteren naar de vragen van de meelifter of non-verbaal heftig reageren. Uiteraard moet de meelifter ook de gelegenheid krijgen om zijn visie weer te geven. Ter afronding van deze evaluatie zullen heldere afspraken gemaakt moeten worden over hoe omgegaan wordt met de bijdragen of het ontbreken hiervan van groepsleden die meeliften. Hierop moet op een later tijdstip teruggekomen worden.

Het aan de orde stellen van bovengenoemde voorbeelden van 'afwijkend' gedrag van groepsleden is niet altijd gemakkelijk. Toch zullen de leden van een onderwijsgroep langzamerhand vaardigheden moeten ontwikkelen in het hanteren van deze moeilijke situaties. Daarvoor is een zekere mate van risicobereidheid noodzakelijk: je moet je kwetsbaar durven opstellen, feedback durven geven en compromissen kunnen sluiten. We veronderstellen dat je tutor bereid en in staat is je te ondersteunen bij je interventies om van een suboptimaal werkende onderwijsgroep een beter functionerende groep te maken.

Tot slot tref je hierna een beknopt overzicht van enkele belangrijke activiteiten die een gespreksleider kan uitoefenen om de samenwerking tussen de groepsleden te bevorderen.

1 Stel je open op ten aanzien van de wijze waarop de groepsleden participeren; hou rekening met verschillen in verwachtingen en cultuur.
2 Focus je niet uitsluitend op de inhoud, let ook op het interactieproces.
3 Besteed aandacht aan gedrag dat samenwerking ondersteunt: deelnemers aanmoedigen, groepsgevoelens verwoorden, actief luisteren, samenvatten en parafraseren van inbreng.
4 Probeer als je storend gedrag van groepsleden waarneemt, eerst op non-verbale en indirecte wijze dit gedrag positief te corrigeren. Als dit niet lukt, wees dan directiever.
5 Vermijd geen evaluaties op het einde van een bijeenkomst. Durf groepsleden uit te nodigen de wijze waarop samengewerkt wordt te analyseren en je observaties en gevoelens via constructieve feedback weer te geven.

6.6 Afronding

Gespreksleiders kunnen een belangrijke bijdrage leveren aan de inhoudelijke en procesmatige voortgang van een onderwijsgroep. Door een goede voorbereiding, door alert te observeren welke activiteiten zich afspelen bij de bespreking van een probleem, door enige methodische vasthoudendheid en door tijdig in te grijpen wanneer groepsleden disfunctioneel gedrag vertonen, kan de gespreksleider een positieve bijdrage leveren aan het leer- en groepsproces tijdens de onderwijsgroepsbijeenkomsten. Het zal duidelijk zijn, we benadrukken dit hier wellicht ten overvloede, dat de gespreksleider niet de enige persoon is die verantwoordelijk is voor een prettige en leerzame bijeenkomst. Dat is de verantwoordelijkheid van alle groepsleden. De gespreksleider is slechts primus interpares. Als eerste onder gelijken heeft hij tijdelijk enige taken extra uit te voeren. De uitvoering van die taken kan het beste gebeuren wanneer de gespreksleider minder direct betrokken is bij de inhoudelijke verwerking van de informatiestroom, maar zich vooral wijdt aan het richting geven van bijdragen van de groepsleden.

Wanneer je voor het eerst met de taak van gespreksleider geconfronteerd wordt, zal je merken dat het niet eenvoudig is om alles tegelijkertijd goed in de gaten te houden: je voelt je wellicht als een aankomend jongleur die enkele borden op stokjes draaiende probeert te houden. Het is zinvol om met de onderwijsgroep en de tutor te bespreken wat er goed en niet zo goed ging met je optreden als gespreksleider. De reacties van anderen kunnen nuttige informatie bevatten voor een verbetering van je vaardigheden als gespreksleider.
In de appendix bij dit hoofdstuk staan enkele observatieschema's die jij en je medegroepsleden kunnen gebruiken om de rol van gespreksleider systematisch te observeren en om elkaar informatie te geven over wat goed ging en wat verbeterd zou kunnen worden. Deze schema's vind je ook op de website.

De tutor zal, vooral in de beginfase van je studie, als coach van de gespreksleider optreden. Aarzel niet om hem om zijn mening of advies te vragen over hoe je als gespreksleider functioneert. Ook zal de tutor in de beginfase soms zelf het initiatief nemen om de voortgang in het gesprek te houden, door vragen te stellen of een samenvatting te geven. Sommige gespreksleiders vatten dat op als impliciete kritiek op hun functioneren en laten het verdere verloop van de discussie aan de tutor over. Het is verstandiger om erop te letten welke bijdragen de tutor levert en wat je daarvan kunt leren. En mocht je werkelijk door de bijdrage van de tutor geïrriteerd raken, praat daar dan na afloop van de bijeenkomst met de tutor over.

Appendix hoofdstuk 6

Instrumenten om het functioneren van een gespreksleider van een onderwijsgroep te verbeteren

In deze bijlage bieden we materiaal aan dat je kunt gebruiken om je functioneren als gespreksleider te verbeteren. Het materiaal bestaat uit observatie-, check- en evaluatielijsten. Door regelmatig actief een of enkele van deze instrumenten te gebruiken kan je je voortgang in vaardigheden beter observeren en beoordelen. Wanneer je een ander groepslid je mening wilt geven over zijn of haar functioneren in de groep is het nuttig gebruik te maken van de feedbackregels beschreven in paragraaf 5.8.

Instrument 1 Evaluatieve vragenlijst 'Functioneren gespreksleider'

Hieronder staat een korte vragenlijst om verschillende aspecten van het functioneren van een gespreksleider te evalueren.

1. Vul de vragenlijst in door met een cijfer aan te geven in hoeverre je het met de uitspraken eens bent. Gebruik de cijfers 1-2-3-4-5, waarbij 1 betekent 'geheel mee oneens' en 5 'geheel mee eens'.
2. Voeg zo nodig andere criteria toe die jullie belangrijk vinden.
3. Wanneer iedereen klaar is, worden de verschillende reacties op het bord geturfd.
4. Vervolgens worden opvallende uitkomsten besproken.
5. Daarna worden afspraken gemaakt hoe een-en-ander verbeterd kan worden.
6. Ten slotte wordt afgesproken wanneer op deze afspraken wordt teruggekomen.

De gespreksleider

	Score	Uitspraak
A	1 2 3 4 5	De gespreksleider had een agenda opgesteld.
B	1 2 3 4 5	De gespreksleider hield de groepsleden goed aan de agenda.
C	1 2 3 4 5	De gespreksleider stimuleerde de groep om de informatie te structureren.
D	1 2 3 4 5	De gespreksleider zorgde ervoor dat er regelmatig samenvattingen waren.
E	1 2 3 4 5	De gespreksleider voorkwam dat we afdwaalden van het onderwerp.
F	1 2 3 4 5	De gespreksleider domineerde de discussie.
G	1 2 3 4 5	De gespreksleider schonk te weinig aandacht aan ieders bijdragen.

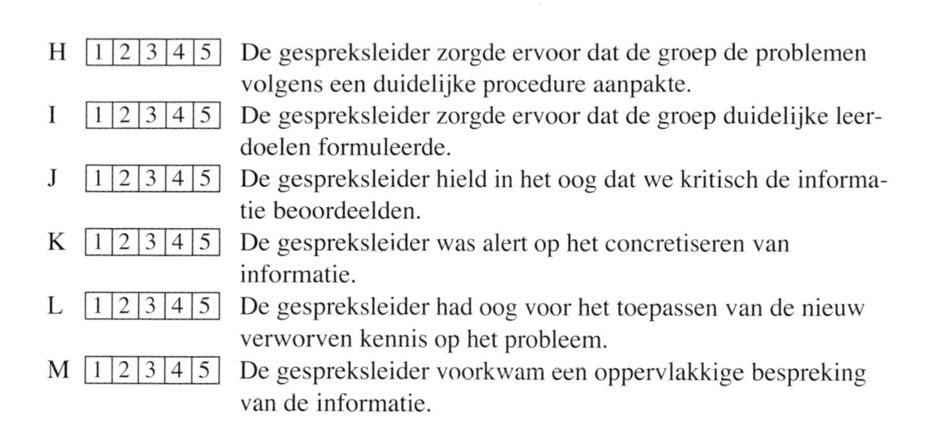

H [1|2|3|4|5] De gespreksleider zorgde ervoor dat de groep de problemen volgens een duidelijke procedure aanpakte.

I [1|2|3|4|5] De gespreksleider zorgde ervoor dat de groep duidelijke leerdoelen formuleerde.

J [1|2|3|4|5] De gespreksleider hield in het oog dat we kritisch de informatie beoordeelden.

K [1|2|3|4|5] De gespreksleider was alert op het concretiseren van informatie.

L [1|2|3|4|5] De gespreksleider had oog voor het toepassen van de nieuw verworven kennis op het probleem.

M [1|2|3|4|5] De gespreksleider voorkwam een oppervlakkige bespreking van de informatie.

Instrument 2a Observatieformulier 'Functioneren gespreksleider tijdens de voorbespreking'

Algemene opmerkingen (Schrijf in enkele kernwoorden je waarnemingen waarover je feedback wilt geven hieronder op.)

Wat ik in het algemeen goed vond van de gespreksleider (voortaan afgekort met GL):
Wat ik in het algemeen minder goed vond van de GL:

Specifieke opmerkingen (Schrijf in enkele kernwoorden je waarnemingen waarover je feedback wilt geven hieronder op.)

De wijze waarop de GL het nieuwe probleem introduceerde:
De wijze waarop de GL de procedure voor probleembespreking bewaakte:
De wijze waarop de GL de onderwijsgroep (OWG) ondersteunde bij het formuleren van probleemstellingen:
De wijze waarop de GL de analyse van het probleem stimuleerde:

De wijze waarop de GL de informatie-invoer van de groepsleden vergrootte:
De wijze waarop de GL de OWG stimuleerde bij het formuleren van werkbare leerdoelen:
De wijze waarop de GL de deelname van alle groepsleden bevorderde:

Ik heb de volgende vaardigheden waargenomen (turven):

Stimuleren ideeën	
Clusteren van ideeën	
Doorvragen	
Samenvatten	
Vragen om concretiseringen	
Herformuleren/structureren informatie	
Stimuleren participatie	
Andere, t.w.	

Instrument 2b Observatieformulier 'Functioneren gespreksleider tijdens de nabespreking'

Algemene opmerkingen (Schrijf in enkele kernwoorden je waarnemingen waarover je feedback wilt geven hieronder op.)

Wat ik in het algemeen goed vond van de gespreksleider (voortaan afgekort met GL):
Wat ik in het algemeen minder goed vond van de GL:

Specifieke opmerkingen (Schrijf in enkele kernwoorden je waarnemingen waarover je feedback wilt geven hieronder op.)

De wijze waarop de GL een agenda introduceerde en bewaakte:
De wijze waarop de GL bestudeerde bronnen inventariseerde:
De wijze waarop de GL de leerdoelen en de ideeën uit de voorbespreking introduceerde:
De wijze waarop de GL de procedure voor probleembespreking bewaakte:
De wijze waarop de GL de informatiedoorvoer vergrootte:
De wijze waarop de GL oog had voor hoofd- en bijzaken en de integratie van het bestudeerde:
De wijze waarop de GL zorg droeg voor toepassing van het geleerde op het oorspronkelijke probleem:

De wijze waarop de GL zorg droeg voor een evaluatie van onze leerervaringen:

Ik heb de volgende vaardigheden waargenomen (turven):

Samenvatten	
Doorvragen	
Structureren/kanaliseren	
Ondersteunen concretiseringen leerstof	
Bevorderen toepassing leerstof	
Stimuleren kritische verwerking leerstof	
Faciliteren participatie groepsleden	
Andere, t.w.	

Instrument 3 Checklist 'Vaardigheden voor de gespreksleider'

Hirena tref je een checklist aan van de meest belangrijke activiteiten die de gespreksleider van een onderwijsgroep tijdens bijeenkomsten kan leveren.

1 Bekijk deze checklist zorgvuldig. Denk na over je eigen functioneren als gespreksleider.
2 Scoor je eigen gedrag hierop door aan te geven of je bepaalde vaardigheden vaak, soms of niet uitvoert.
3 Informeer daarna eens bij medegroepsleden of zij de aanwezigheid of (gedeeltelijke) afwezigheid van bepaalde activiteiten ook bij je waarnemen. Vraag hen om feedback op je functioneren. Door aandachtig naar hun informatie te luisteren en door zorgvuldig na te gaan of je gewenste of ongewenste effecten uitlokt, kun je je functioneren als gespreksleider verbeteren.
4 Noteer (deel)vaardigheden die je wilt verbeteren onder aan de checklist en controleer regelmatig of en hoe je dit lukt.

Checklist: Vaardigheden van de gespreksleider

Vaardigheid	Karakteristieken	Vaak	Soms	Weinig
Voorbereiden nadenken over hoe de bijeenkomst doelmatig en doelgericht kan verlopen	• bepalen volgorde leerdoelen • nadenken over moeilijkheden leerstof • inschatten inbreng groepsleden • voorbereiden nieuw probleem • nadenken over procedure van probleembespreking • agenda voor bijeenkomst maken			
Stimuleren structureren van informatie ordenen, kanaliseren, herformuleren van de informatie in een georganiseerd geheel	• agenda en werkprocedure voorleggen ter accordering • introduceren leerdoelen • hoofd- en bijzaken onderscheiden • samenvatten • doorvragen • beperken afdwaalgedrag • construeren van een concept map			
Stimuleren concretiseren van informatie concrete voorstellingen bedenken bij meer abstracte informatie	• vragen om voorbeelden • stimuleren vertellen eigen ervaringen			
Stimuleren relateren van informatie verbanden zoeken tussen verschillende onderdelen van de leerstof	• vragen naar overeenkomsten en verschillen • theorieën laten vergelijken • verband zoeken tussen probleem en (sub)thema blokboek • analogieën, metaforen laten bedenken			
Stimuleren toepassen van informatie	• terugkoppelen naar oorspronkelijk probleem • analoog probleem analyseren met nieuw kennisbestand			

Vaardigheid	Karakteristieken	Vaak	Soms	Weinig
Stimuleren kritisch verwerken van informatie opvattingen van auteurs, medestudenten en tutor kritisch beoordelen	• achtergronden van tegengestelde meningen auteurs laten verhelderen • zwakke/sterke kanten van een theorie laten bepalen			
Stimuleren diagnosticeren van wijze van bespreking nadenken over de kwaliteit van het leerproces	• onderzoeken of bijeenkomsten inhoudelijk meerwaarde hebben • nagaan welke leeractiviteiten ontbreken en dit corrigeren • onderzoeken mogelijke oorzaken van moeilijkheden met kennisverwerking			
Stimuleren reflectie op eigen werken inhouds- en voortgangscontrole	• vragen aan groepsleden na te denken over de wijze waarop er inhoudelijk is gewerkt • vragen aan groepsleden na te denken hoe er is samengewerkt			
Stimuleren participatie van groepsleden bevorderen van gelijkmatige spreiding in bijdragen deelnemers	• zwijgzame groepsleden stimuleren • dominant aanwezige groepsleden afremmen • belangstelling tonen voor ideeën • waardering tonen voor bijdragen			
Stimuleren harmoniseren interactie tussen groepsleden spanningen verminderen, bemiddelen tussen personen of subgroepen	• standpunten met elkaar verzoenen • een grapje op zijn tijd toelaten • spanningen bespreekbaar maken door ze te signaleren			

Ik ga de komende tijd de volgende deelaspecten van de vaardigheid/vaardigheden .... aanpakken. Ik ga dit als volgt doen:

....

....

7 Variaties binnen probleemgestuurd onderwijs

7.1 Inleiding

In de voorafgaande hoofdstukken heb je kennisgemaakt met probleemgestuurd onderwijs in zijn oorspronkelijke vorm. Er is uitvoerig aandacht besteed aan de wijze waarop je in een dergelijke leeromgeving kunt functioneren. Helaas worden onze aanwijzingen nogal eens opgevat als voorschriften waarvan nooit afgeweken mag worden. Dat is niet onze bedoeling. De aanwijzingen zijn hulpmiddelen om actief en zelfstandig leren in en buiten een onderwijsgroep te bevorderen. Wanneer studenten meer ervaring met het werken aan allerlei problemen hebben, kan het juist verfrissend zijn om een andere werkwijze te beproeven. Ook de wijze waarop problemen worden aangeboden kan worden gevarieerd, wat eveneens gevolgen kan hebben voor de wijze waarop aan een probleem gewerkt wordt.
In dit hoofdstuk gaan we beknopt in op een aantal variaties. We besteden achtereenvolgens aandacht aan variaties in het analyseren van problemen, in de taakverdeling tussen studenten tijdens de zelfstudiefase en in de nabespreking. Ten slotte besteden we ook aandacht aan onderwijsvormen waarbij een probleemgestuurde aanpak ook een grote rol speelt.

7.2 Variaties in de fase van de voorbespreking van een probleem

Wie een halfjaar wekelijks de zevensprong ten minste twee keer per week uitvoert, ervaart ongetwijfeld een zekere saaiheid: alweer 'zevensprongen'. Dat leidt ertoe dat studenten niet meer proberen om echt na te gaan wat ze al weten, maar snel tot de conclusie komen dat de probleemstellingen maar leerdoelen moet worden, vaak met informatieverlies tot gevolg. De meest essentiële stappen in het leerproces: activatie van voorkennis en elaboratie op die voorkennis worden dan overgeslagen. Aan de andere kant is variatie in werken ook plezierig. Hier volgen een paar suggesties om op een andere wijze de probleemanalyse, met behoud van de eerder genoemde cognitieve processen, aan te pakken.

a Het 'post-it papiertje'
Dit is een variant op de eerder beschreven werkwijze bij de brainstormtechniek. De werkwijze verloopt als volgt:
1 Laat ieder groepslid eerst zijn ideeën op een 'post-it' papiertje zetten (één idee per blaadje).
2 Alle papiertjes worden vervolgens op een bord geplakt, waarna groepsleden aanvullingen erbij kunnen schrijven of nieuwe papiertjes toe kunnen voegen.
3 Daarna worden ideeën geclusterd en verder uitgediept.

b Analyseren in subgroepen

1 Deel de onderwijsgroep op in drie- of viertallen.
2 Laat ieder subgroepje vijf à tien minuten brainstormend het probleem analyseren.
3 Daarna wordt er plenair geïnventariseerd, geclusterd en verder uitgediept.

c Subgroepen maken die de probleemanalyse vanuit een bepaald perspectief benaderen

In veel vakgebieden zijn er uiteenlopende professionele gezichtspunten en professionele rollen. Op juridisch gebied bijvoorbeeld is er het opsporingsperspectief en het rechtsgevoel van de burger; in de bedrijfseconomie de marketing en het financiële perspectief; en in de gezondheidszorg het preventie- en behandelingsperspectief. Verdeel de groep in subgroepen, die ieder tot taak hebben om in tien à vijftien minuten het probleem te analyseren vanuit één gekozen perspectief. Na een korte presentatie van iedere subgroep worden de verschillende analyses plenair vergeleken en verder uitgediept.

d Subgroepen die het probleem vanuit verschillende disciplines benaderen

Dezelfde werkwijze als bovenstaand, maar nu wordt er afhankelijk van de blokinhoud een indeling op relevante disciplines gemaakt.

e De nominaalmethode

Bij deze werkwijze is er in de beginfase van de bespreking tijdelijk minder interactie tussen de groepsleden. De nominaalmethode kan op de volgende wijze gebruikt worden:

1 Nadat het probleem gedefinieerd is, schrijven de deelnemers individueel zo veel mogelijk ideeën voor verklaringen of oplossingen op zonder daar met andere groepsleden over te praten.
2 De groepsleden noemen hun ideeën na elkaar op. Ze worden door de notulist op het bord geschreven. Zo mogelijk worden samenhangende ideeën al geclusterd. Discussie vindt nog niet plaats. Nieuwe ideeën op basis van associaties van ideeën van andere groepsleden worden wel meegenomen.
3 Alle suggesties worden nu successievelijk verduidelijkt en met argumenten toegelicht.
4 Ten slotte rangschikken de groepsleden individueel op basis van de ingebrachte argumenten uit de vorige ronde verklaringen of oplossingen naar hun voorkeur. Na een inventarisatie worden de meest favoriete verklaringen of oplossingen verder uitgediept.

f Probleemanalyse via een elektronische leeromgeving: de virtuele onderwijsgroep

Dit is een variant van de zojuist besproken methode. Een belangrijk verschil is echter dat de probleemanalyse plaatsvindt voordat de groep een gewone groepsbijeenkomst heeft. Het voorwerk wordt dus thuis verricht. In de elektronische leeromgeving vindt de eerste analyse plaats. In de groepsbijeenkomst kan dan verdere verheldering plaatsvinden en kunnen leerdoelen worden geformuleerd.

g Probleemanalyse met behulp van decision-making software
Bij het analyseren van technische en beleidsproblemen wordt in toenemende mate gebruikgemaakt van software die een getrapte discussie en besluitvorming mogelijk maakt. Dergelijke werkomgevingen kunnen ook uitstekend benut worden in een probleemgestuurde onderwijsaanpak. Groepsleden beschikken allen over een onlineverbinding met elkaar en worden door een moderator door een probleemstelling geloodst, waarbij ze ideeën inbrengen, op elkaar kunnen reageren et cetera. Op bepaalde momenten wordt de steun of belangstelling voor bepaalde ideeën bepaald door ze te rangordenen of van punten te voorzien. Zonder directe discussie tussen deelnemers kunnen complexe problemen op deze wijze in kaart gebracht worden.

7.3 Variaties in de taakverdeling tijdens de fase van zelfstudie

In de werkwijze beschreven in hoofdstuk 2 werken alle studenten in principe aan dezelfde leerdoelen tijdens de zelfstudie. Ook hier zijn variaties mogelijk.
Zo kan een probleem in feite te omvangrijk zijn om in volle diepgang door ieder bestudeerd te worden. Het verdelen van leerdoelen kan dan een middel zijn om een complex vraagstuk in korte tijd te bewerken als onderwijsgroep. Probleemgestuurd onderwijs krijgt dan het karakter van een miniproject, waarin deelnemers werken aan verschillende aspecten van een probleem.
In navolging van een hierboven beschreven variant om een probleem in subgroepen vanuit verschillende perspectieven te analyseren, kunnen deze subgroepen natuurlijk het probleem ook vanuit hun perspectief bestuderen en daarover later rapporteren.

7.4 Variaties in de fase van de nabespreking van een probleem

Varianten op de fase van synthese en toepassing in het eerder beschreven model worden in de praktijk ook aangetroffen.

'Wat ik niet snapte'
In het eerder beschreven model is het gebruikelijk dat de groepsleden vertellen welke informatie zij in de verschillende studiebronnen gevonden hebben, waarna integratie plaatsvindt. Wanneer een onderwijsgroep echter meer ervaren is, kan zij voor een andere benadering kiezen. Ieder groepslid heeft dan de mogelijkheid een onopgelost aspect aan de andere groepsleden voor te leggen. De overige groepsleden kunnen hierop dan reageren. Uiteraard vereist deze benadering dat de groepsleden de studiebronnen grondig bestuderen en met vraagstellingen komen die inzicht en begrip in de leerstof vereisen.

Het referentenmodel
Deze benadering is een goede voorbereiding op een beroepssituatie waarin je later meerdere malen terecht kunt komen. Van professionele beroepsbeoefenaren wordt vaak verwacht dat zij een presentatie over een of ander onderwerp geven aan een kritisch gehoor van collega's. In deze variant rapporteert een student volledig over een of meer leerdoelen, waarna de overigen, op basis van hun zelfstudie, kritische vragen stellen over het bestudeerde materiaal. Uiteraard kan bij deze presentatie gebruikgemaakt worden van bijvoorbeeld concept maps en powerpoint dia's.

7.5 Andere vormen van probleemgestuurd onderwijs

Werken in onderwijsgroepen volgens de methode beschreven in de voorgaande hoofdstukken en de varianten die hierboven geschetst zijn, is uiteraard niet de enige vorm van probleemgestuurd onderwijs. Met name de laatste jaren worden in allerlei onderwijsinstellingen varianten bedacht. Zo kunnen er verschillen zijn in de omvang van de onderwijsgroep, in de frequentie waarin de leden van een onderwijsgroep bijeenkomen en in de complexiteit van het probleem dat de studenten krijgen aangeboden. We schetsen hieronder enkele varianten waarmee je tijdens je studie in een probleemgestuurde leeromgeving te maken kunt krijgen. Voordat we dat echter doen twee waarschuwingen vooraf: het is, ten eerste, steeds belangrijk dat de hoeveelheid tijd die studenten aan zelfstudie kunnen besteden, ruim voldoende is. Onderzoek toont aan dat de hoeveelheid zelfstudietijd een belangrijke factor is voor studiesucces en studieverloop. Ten tweede moet de continuïteit van het bespreken van problemen en zelfstudie bewaakt worden. Wanneer onderwijsgroepsbijeenkomsten te ver uit elkaar liggen, verliest de groep haar onderlinge betrokkenheid, studieritme en procescontrole. Verwatering van het leer- en groepsproces kan dan gemakkelijk plaatsvinden.

7.5.1 Elke dag een probleem
In reactie op lokale omstandigheden zijn er nieuwe vormen van probleemgestuurd onderwijs ontstaan. Herinner je dat 'klassiek' probleemgestuurd onderwijs studenten tweemaal per week bij elkaar brengt om over problemen te discussiëren. Tussen die bijeenkomsten van de onderwijsgroep worden zij geacht om zelfstandig de stof te bestuderen die bij die problemen hoort. Die lange periode van zelfstudie maakt probleemgestuurd onderwijs ongeschikt voor studenten of leerlingen die minder, of nog niet, gewend zijn lange tijd zelfstandig te werken. Dat kan het geval zijn in het voortgezet onderwijs. Leerlingen in die context hebben wellicht meer structuur en begeleiding nodig dan probleemgestuurd onderwijs in zijn traditionele vorm biedt. Op de Republic Polytechnic in Singapore (een combinatie van middelbaar en hoger beroepsonderwijs) heeft men een vorm ontwikkeld die daaraan tegemoetkomt: 'elke dag een probleem (One day one problem)' geheten. Die vorm bestaat erin, de naam zegt het al, dat studenten aan

het begin van elke schooldag een probleem krijgen en dat dat probleem aan het einde van de dag is afgewerkt. De volgende dag wacht dan een nieuw probleem. Studenten werken in groepjes van vijf aan het probleem. Na een discussie van ongeveer een halfuur, werken ze, terwijl ze op school blijven, zelfstandig aan de bijbehorende stof die ze veelal op het internet zoeken (elke student heeft een laptop bij zich). Halverwege de dag heeft de groep tussentijds overleg, waarbij ook de tutor betrokken is. Er wordt dan nagegaan hoever iedereen is en wat nog gedaan moet worden. Daarna volgt een tweede ronde van zelfstudie (waarbij studenten overigens soms in paren samenwerken), afgerond met een presentatie van de belangrijkste bevindingen aan andere groepjes. De tutor vat aan het eind van de dag nog eens samen welke belangrijke onderwerpen die dag aan de orde zijn gekomen en diept die zo nodig nog wat uit. Interessant is dat de groepjes van vijf niet in aparte ruimtes zitten, maar met vier andere groepen in een klaslokaal. Er is voor die vier groepen één tutor beschikbaar die van groep naar groep gaat. Daarmee lost de Republic Polytechnic en passant ook nog het probleem op dat veel opleidingen zich eenvoudigweg niet kunnen permitteren elke groep van een eigen tutor te voorzien. Deze 'elke dag een probleem'-aanpak biedt de studenten dus meer structuur dan de klassieke vorm die voor universitaire studenten ontwikkeld is, en voorkomt uitstelgedrag; het 'huiswerk' wordt immers gewoon op school gemaakt.

7.5.2 De student bepaalt

Naarmate studenten meer vertrouwd raken met probleemgestuurd onderwijs, ontstaat er bij hen in toenemende mate behoefte aan het nemen van eigen initiatieven. Bij de Rotterdamse opleiding Onderwijs- en Ontwikkelingspsychologie is op de volgende wijze tegemoetgekomen aan dit verlangen van de studenten. In plaats van twee onderwijsgroepsbijeenkomsten per week, zoals het geval is bij de meeste probleemgestuurde opleidingen, vindt er nog maar een keer per week een bijeenkomst plaats. Tijdens een drie uur durende bijeenkomst ligt de nadruk op de nabespreking van de literatuur die is bestudeerd. Er is weliswaar nog een korte voorbespreking tijdens de onderwijsgroepsbijeenkomst, maar deze vindt nu grotendeels buiten de onderwijsgroep plaats. Studenten bestuderen het probleem individueel en op basis van hun analyse doen ze suggesties voor mogelijke leerdoelen. Deze leerdoelen worden een paar dagen voorafgaand aan de onderwijsgroepsbijeenkomst naar de tutor en de gespreksleider opgestuurd, via een elektronische leeromgeving of e-mail. De gespreksleider heeft tot taak een overzicht te maken van alle geformuleerde leerdoelen. Deze komen gedeeltelijk met elkaar overeen, maar er zal ook een aantal unieke leerdoelen geformuleerd zijn. Tijdens de onderwijsgroep geeft de gespreksleider een samenvatting van dit overzicht en doet een aantal suggesties voor 'collectieve' leerdoelen. Hierbij is er speciale aandacht voor de unieke leerdoelen. Het is immers mogelijk dat een enkeling een belangrijk element uit het probleem heeft gehaald dat door de meerderheid van de onderwijsgroep over het hoofd is gezien. Op basis van de leerdoelen gaan studenten op zoek naar relevante literatuur. Studenten zijn volledig vrij in het selecteren van hun bronnen. Ze zijn hier echter wel van tevoren in getraind, zodat ze de kwaliteit van hun bronnen goed kunnen beoordelen. Bij een wetenschappelijk artikel valt hierbij te denken aan het aantal publicaties van een auteur, het aantal malen waarin zijn publicaties geciteerd zijn, de mate van invloed van een tijdschrift in een bepaald vakgebied (dit wordt de impactfactor genoemd) et cetera. Net als de leerdoelen wordt ook de gevonden literatuur naar de gespreksleider en tutor opgestuurd. Ook nu maakt de gespreksleider, een andere student dan tijdens de voorbespreking, een overzicht van alle bestudeerde literatuur. Het wordt zo voor de groep duidelijk welke artikelen het meest gelezen zijn en welke door een enkeling. Daarna wordt de literatuur bediscussieerd, kritisch geëvalueerd, geïntegreerd en toegepast. Een belangrijk voordeel van deze aanpak is dat de discussie door deze diversiteit aan bronnen wordt gestimuleerd. Studenten leren bovendien omgaan met tegenstrijdigheden in de literatuur. Het belangrijkste voordeel is echter dat gevorderde studenten meer en meer controle krijgen over hun eigen leerproces, en dat is essentieel voor hun verdere loopbaan.

7.5.3 PGO met zelfgestuurde studieteams

Bij de werkvorm 'PGO met zelfgestuurde studieteams' wordt in grote mate gewerkt binnen het patroon van probleemgestuurd leren zoals dat eerder beschreven werd. De werkvorm ziet er als volgt uit:

- Een onderwijsgroep bestaat uit twaalf tot zestien personen, die opgedeeld worden in studieteams van ieder vier personen.
- De leden van de onderwijsgroep krijgen een gecompliceerd probleem aangeboden. Dit probleem wordt in de gehele onderwijsgroep geanalyseerd volgens de methode die eerder beschreven is. De groepsleden hebben daarna een week de tijd om het probleem in verschillende studieteams te bestuderen. Na een week komen de studieteams weer in de onderwijsgroep bijeen om met elkaar hun bevindingen door te spreken.
- In ieder studieteam worden, per week, aan verschillende personen de volgende rollen toebedeeld:
  - *De weekvoorzitter.* Dit groepslid zit de bijeenkomsten van het studieteam tijdens de studieweek voor en zorgt voor de hele coördinatie van de werkzaamheden van het studieteam.
  - *De presentator.* Dit groepslid geeft een presentatie over het bestudeerde materiaal aan de andere groepsleden en verzorgt het presentatieverslag.
  - *De discussiant.* Dit groepslid presenteert kritische vragen over de bestudeerde leerstof.
  - *Gewoon groepslid.* Dit groepslid is, net als de andere groepsleden, nauw betrokken bij de verwerking van de leerstof. In geval van calamiteiten neemt dit groepslid een van de rollen van de andere groepsleden van het studieteam over.
- Ieder studieteam houdt haar activiteiten bij door middel van een portfolio, een document waarin alle inhoudelijke activiteiten en interpersoonlijke processen kort en krachtig via individuele reflecties worden opgeslagen. Het portfolio maakt deel uit van de individuele beoordeling van de student.
- Tijdens de wekelijkse onderwijsgroep van drie uur, presenteren de studenten

met de rol van presentator welke verklaringen of oplossingen hun studieteam gevonden heeft voor het probleem. De discussianten brengen kritische noties uit hun studieteam naar voren: wat werd niet goed begrepen, wat wordt betwijfeld in de literatuur en wat zou gefundeerde kritiek kunnen zijn op de bronnen die geraadpleegd zijn? Daarna discussiëren alle leden van de onderwijsgroep met elkaar over deze noties. Verdere uitdieping en integratie van de leerstof wordt door alle groepsleden bewerkstelligd. Vervolgens wordt een nieuw gecompliceerd probleem geanalyseerd.

7.5.4 De projectgroep

Werken in projectgroepen is een onderwijsvorm die al langer bestaat dan probleemgestuurd onderwijs. Gelijktijdig met de opkomst van probleemgestuurd onderwijs kreeg projectonderwijs, vooral in technologische opleidingen, een doorstart. Sindsdien neemt de populariteit van deze onderwijsvorm in allerlei studierichtingen weer toe.
Kenmerkend voor projectonderwijs is dat de omvang van het probleem dat de studenten wordt aangereikt veelal omvangrijker is dan in probleemgestuurd onderwijs. Verder is de aard van de werkverdeling vaak anders, studenten werken veelvuldig in kleine teams of individueel aan elementen van de probleemstelling. Ten slotte wordt van de studenten een andere product vereist: een rapport of een uitgewerkt model waarmee zij de oplossing van het probleem concretiseren.
Er bestaan inmiddels velerlei varianten van projectonderwijs. We beschrijven hier slechts één variant. Een groep van 96 studenten krijgt een maatschappelijk relevant vraagstuk voorgelegd. Het probleem is in samenspraak met een externe instantie en docenten van een bepaalde faculteit geformuleerd, bijvoorbeeld 'Hoe kunnen de wachtlijsten in onze gezondheidszorginstelling gereduceerd worden?' of 'Bedenk verschillende oplossingen voor het tekort aan intensive-carebedden op de kinderafdeling van academische ziekenhuizen.' Binnen het probleem zijn verschillende invalshoeken te onderscheiden. De groep studenten wordt opgedeeld in zes teams van elk zestien personen. Elk team heeft twee maanden de tijd om het probleem op te lossen, dit wil zeggen ideeën te bedenken die voor de opdrachtgever nuttig zijn om het probleem hanteerbaar te maken. Ieder team analyseert het probleem uitvoerig, waarbij de diverse aspecten uiteengerafeld worden en voorstellen worden geopperd hoe de subproblemen opgelost zouden kunnen worden. Vervolgens splitst elk team zich in subteams, die aan de verschillende facetten van het probleem werken. Ieder subteam raadpleegt daartoe allerlei externe bronnen: literatuur, internet, externe experts, docenten uit de faculteit et cetera. Eenmaal per week rapporteren de subteams, in aanwezigheid van een begeleidende docent, aan elkaar over hun voortgang en de problemen die ze tegenkomen. Mogelijke ideeën ter oplossing, adviezen over werkwijzen en dergelijke worden dan aan elkaar aangereikt. Regelmatig wordt bekeken hoe de verschillende facetten weer op elkaar kunnen worden afgestemd en hoe deze in een eindrapport met elkaar kunnen worden geïntegreerd. Tijdens de laatste twee weken van de achtweekse onderwijsperiode wordt regelmatig overlegd hoe de resultaten aan de andere studenten, het docentencorps en de externe opdrachtgever gepresenteerd kunnen worden. In de laatste week van de onderwijsperiode

vindt deze presentatie plaats. Elk team heeft een rapport geschreven waarin ze hun wetenschappelijk en maatschappelijk onderbouwde ideeën weergeven om het probleem op te lossen c.q. hanteerbaar te maken. Vertegenwoordigers uit de subteams van elk team presenteren met behulp van computers, beamers of andere media de voornaamste elementen uit dat rapport. Daarna volgt er een discussie met leden uit andere teams, leden van het docentencorps en vertegenwoordigers van de externe instantie. Tot slot worden de prestaties van ieder team afzonderlijk en van de leden van ieder team geëvalueerd.

7.6 Slotwoord

De 'klassieke' vormgeving van probleemgestuurd onderwijs en de varianten daarop hebben dezelfde doelen gemeenschappelijk. Dit zijn het aanbieden van onderwijs waarin studenten gestimuleerd worden om actief en zelfstandig te leren. Moderne leerprincipes als activatie van voorkennis, elaboratie, leren in een context en collaboratief leren zijn in al deze vormgevingen geïncorpereerd. Daarnaast bieden al deze varianten studenten velerlei mogelijkheden om een attitude van levenslang leren te ontplooien. Doe er je voordeel mee!

Aanbevolen literatuur

De volgende lijst bevat een aantal boeken die nuttig voor je kunnen zijn om allerlei zaken die samenhangen met effectief studeren binnen de context van probleemgestuurd onderwijs, verder uit te diepen.

Dekeyser, L. & Baert, H. (1999). *Projectonderwijs: leren en werken in groep*. Leuven: Acco.
Dit boek bevat een uitgebreid theoretisch kader en vervolgens praktische uitwerkingen. Veel aandacht wordt besteed aan de taken en vaardigheden van studenten binnen het kader van projectmatig leren en hoe dat geoefend kan worden.

Hofstede, G.H., & Hofstede G.J. (2005). *Allemaal andersdenkenden. Omgaan met cultuurverschillen* (17de druk). Olympus.
Dit boeiende, maar niet eenvoudige, boek geeft je een diepgaand inzicht in de oorzaken en gevolgen van cultuurverschillen tussen landen op de verschillende dimensies die in hoofdstuk 3 besproken worden. Het aardige van dit boek is dat het op iedere dimensie ook stilstaat bij de gevolgen voor school en werk (bijvoorbeeld machtsafstand op school en individualisme en collectivisme op het werk). Daardoor krijg je een goed beeld van de effecten van deze dimensies.

Pilot, A., Hout-Wolters, B. van, Jongepier, P., & Scheijen, W. (2008). *Studeer effectief*. Groningen: Noordhoff Uitgevers.
Dit boek richt zich op de studievaardigheden die van belang zijn in het wetenschappelijk onderwijs of in het hoger onderwijs. Het biedt informatie over onderwerpen als: motivatie en concentratie, tijdsbesteding en studieplanning, colleges volgen, bestuderen van studieboeken en syllabi, vraagstukken maken, voorbereiden op en het maken van tentamens.

Remmerswaal, J. (2008). *Handboek Groepsdynamica: een nieuwe inleiding op theorie en praktijk* (9de geheel herziene druk). Baarn: Nelissen.
Wie meer inzicht in de mogelijkheden van het werken in een groep wil krijgen en meer wil weten over problemen die zich in een groep kunnen voordoen, kan in dit boek uitgebreide informatie vinden.

Steehouder, M. (2006). *Leren communiceren* (5de herziene druk). Groningen: Wolters-Noordhoff.
In dit boek vind je allerlei aanwijzingen met betrekking tot mondelinge en schriftelijke communicatie. Het boek bevat nuttige informatie over het schrijven van werkstukken en het houden van presentaties.

Geraadpleegde literatuur

Alblas, G. (1997). *Groepsprocessen. Overleggen en uitvoeren in teams*. Houten: Bohn Stafleu Van Loghum.

Alwis, W.A.M. (2007). Pedagogical Beliefs and Institutional Practices at Republic Polytechnic. *Keynote presentation at the 2nd International Symposium on PBL: Reinventing PBL, Singapore*. Verkrijgbaar bij de auteur: alwis@rp.sg.

Barrows, H.S. (1984). A specific, problem-based, self-directed learning method designed to teach medical problem-solving skills, self-learning skills and enhanced knowledge retention and recall. In: Schmidt, H.G., & de Volder, M.L. (Eds.), *Tutorials in problem-based learning,* Assen/Maastricht: Van Gorcum.

Hofstede, G. (1980). *Culture's Consequences: International Differences in Work-Related Values*. Beverly Hills (CA): Sage.

Hofstede, G. (2004). *Allemaal andersdenkenden. Omgaan met cultuurverschillen* (17de druk). Olympus.

Jacques, D. (2000). *Learning in groups*. London: Kogan Page.

Moust, J.H.C., Bouhuijs, P.A.J., & Schmidt, H.G. (2007). *Introduction to Problem-based Learning. A guide for students*. Groningen: Wolters-Noordhoff.

Moust, J.H.C., & Grave, W.S. de (2000). *Werken in onderwijsgroepen*. Groningen: Wolters-Noordhoff.

Moust, J.H.C., Roebertsen, H., Savelberg, H., & de Rijk, A. (2005). Revitalising PBL Groups: Evaluating PBL with study teams. *Education for Health, 18 (1)*, 62-73.

Remmerswaal, J. (2001). *Handboek Groepsdynamika*. Baarn: Nelissen.

Schmidt, H.G., Cohen-Schotanus, J., Molen, H.T. van der, Splinter, T.A.W, Bulte, J., Holdrinet, R., & Rossum, H.J.M. (2009). Learning more by taught less; A 'time-for-self-study' theory explaining curricular effects on graduation rate and study duration. *Research in Higher Education* (onder beoordeling).

Schmidt, H.G., & Moust, J.H.C. (1998). *Probleemgestuurd Onderwijs. Praktijk en theorie*. Groningen: Wolters-Noordhoff.

Vermunt, J.D.H.M. (1992). *Leerstijlen en sturen van leerprocessen in het hoger-onderwijs. Naar procesgerichte instructie in zelfstandig denken*. Amsterdam/Lisse: Swets & Zeitlinger.

Webb, N.M. (1993). Peer interaction and learning in small groups. *International Journal of Educational Research, 13*, 21-41.

Register